ÉTONNANTS • CLASSIQUES

D1531729

MAUPASSANT

La Parure
et autres scènes
de la vie parisienne

Présentation, notes, chronologie, cahier photos et dossier par
LAURE HUMEAU-SERMAGE,
professeure de lettres

Flammarion

**De Maupassant,
dans la collection « Étonnants Classiques »**

© Flammarion, Paris, 2001.
Édition revue, 2015 et 2018.
ISBN : 978-2-0814-4484-3
ISSN : 1269-8822

SOMMAIRE

La Parure
et autres scènes
de la vie parisienne

▰ Dossier 75

Un forcené
de la littérature

Au cours d'une existence rongée par la maladie et la folie qui l'emportent à quarante-trois ans, Guy de Maupassant écrit plus de trois cents nouvelles et contes, six romans et une multitude de chroniques et de récits de voyage. L'énergie de sa plume est d'autant plus grande que sa production est concentrée sur dix ans, de 1880 à 1890, entre son départ du ministère de l'Instruction publique et les attaques de plus en plus fréquentes de la maladie. De *Boule de suif*, parue en 1880, qui consacre Maupassant comme écrivain à succès, à *Fort comme la mort*, son dernier roman, paru en 1889, l'itinéraire de cet homme originaire de Normandie est remarquable. Pendant une décennie, il travaille au ministère de la Marine et des Colonies, puis au ministère de l'Instruction publique qu'il n'apprécie guère plus : il s'y ennuie mais observe sans complaisance ce milieu étriqué qu'il méprise et qui inspirera une grande partie de son œuvre. Il cherche à échapper à ce morne univers et, tout en s'adonnant aux excès que lui permettent sa jeunesse et sa fougue, il se met à l'écriture, sous le regard bienveillant de Gustave Flaubert, ami de sa mère.

Le genre de la nouvelle

Rien n'est moins original au XIXe siècle que d'écrire des nouvelles : tous les grands auteurs français et étrangers, comme Gustave Flaubert, Honoré de Balzac, Émile Zola, Alphonse Daudet, Ivan Tourgueniev, d'origine russe, et l'Américain Edgar Allan Poe, s'y essaient. De plus, le développement de la presse favorise ce genre littéraire, et Jules Lemaître, critique de l'époque, souligne, dans un article consacré à Maupassant tiré des *Contemporains*, l'étroit rapport entre la nouvelle et la presse : « Dans ces dernières années, le conte, assez longtemps négligé, a eu comme une renaissance. Nous sommes de plus en plus pressés ; notre esprit veut des plaisirs rapides ou de l'émotion en brèves secousses : il nous faut du roman condensé, s'il se peut, ou abrégé si l'on a rien de mieux à nous offrir. Les journaux, l'ayant senti, se sont avisés de donner des contes en guise de premiers-Paris[1]. » Maupassant n'échappe pas à cet engouement et publie ainsi dans *Le Figaro*, *Le Gaulois*, *Gil Blas* et *L'Écho de Paris* bon nombre de nouvelles avant de les recueillir dans des volumes dont il dirige la publication.

La nouvelle est un genre qui se laisse difficilement définir, et ses appellations aussi diverses que conte, récit ou chronique montrent son aptitude à la diversité. Pourtant se dégagent certaines règles : une nouvelle est un récit bref – la brièveté est peut-être liée aux contraintes propres à la parution dans les journaux –, rapide et resserré, qui développe un sujet restreint et met en scène un nombre réduit de personnages. Tout est tendu vers une fin qui doit être frappante, dramatique, tragique ou comique. Ce court récit s'attache aussi à l'instant, et c'est ce

---

1. *Premiers-Paris* : lectures divertissantes dans un journal.

qui fait sa particularité par rapport au roman. Dans une nouvelle, il s'agit moins de raconter une histoire, la vie entière d'un personnage par exemple, que d'évoquer un moment particulier et important de l'existence d'un individu, lié en général à une révélation ou à une prise de conscience. Le nouvelliste veut saisir un instant de vie, un épisode, une aventure, une anecdote. Selon la formule de Jules Janin, écrivain contemporain de Maupassant, « la nouvelle est une course au clocher. On va toujours au galop, on ne connaît pas d'obstacles ». Pour Maupassant, le but de cette course est de rendre compte de la réalité.

De la réalité

Dans la multitude des nouvelles que Guy de Maupassant a léguées à la postérité se dégagent deux orientations générales. La place faite aux contes fantastiques est grande, comme en témoigne sa nouvelle la plus célèbre, inspirée de sa propre folie, *Le Horla*[1]. Le monde y apparaît comme infini et échappant à la compréhension, l'homme comme une créature fragile en proie à toutes les incertitudes et à toutes les illusions : la réalité y est vacillante.

Mais Maupassant s'attache aussi à décrire la réalité dans son quotidien, parfois cruel et médiocre : il est avant tout un écrivain proche du mouvement littéraire réaliste qui se développe en France dans la deuxième moitié du XIXe siècle. Il a pour maîtres plusieurs grands écrivains réalistes de l'époque : Flaubert d'abord,

---

1. In *Le Horla et autres contes fantastiques*, GF-Flammarion, « Étonnants Classiques », n° 11, 2006.

l'auteur de *Madame Bovary* et de *L'Éducation sentimentale*, son véritable initiateur à la littérature, qui lui apprend à « regarder tout ce qu'on veut exprimer, assez longtemps et avec assez d'attention pour en découvrir un aspect qui n'ait été vu et dit par personne[1] » ; Émile Zola ensuite, célèbre pour son cycle des Rougon-Macquart, et qui, en avril 1880, fait paraître *Boule de suif* dans le recueil *Les Soirées de Médan* et introduit Maupassant dans le cercle des grands écrivains ; Honoré de Balzac enfin, l'auteur de *La Comédie humaine*, auquel Maupassant voue une grande admiration. Balzac et Flaubert sont des écrivains réalistes qui ont le souci d'observer la réalité et de donner au lecteur l'impression du vrai. Zola est le maître du naturalisme : pour lui, l'écrivain doit observer avec minutie la réalité, la reproduire le plus fidèlement possible mais surtout proscrire toute idéalisation du réel en ne redoutant pas de peindre les malheurs, les misères et les vices.

Mais si Maupassant est proche du mouvement naturaliste et a des affinités indiscutables avec le réalisme, l'auteur des nouvelles mettra un point d'honneur à prendre de la distance avec tous les groupes littéraires friands de doctrine ou de théories figées sur la littérature. Loin de toute école, il ne veut pas dire toute la vérité mais veut en choisir les traits les plus caractéristiques. Pour lui, l'art est seulement une peinture vraie, objective et détachée.

---

1. Maupassant, « Le Roman », préface de *Pierre et Jean*, GF-Flammarion, 1992, p. 27.

« Surprendre l'humanité sur le fait »

Tel est le dessein de Maupassant dans ses nouvelles et il s'inspire pour cela de sa propre vie : certaines de ses œuvres en sont le reflet à peine déformé. *Le Horla* laisse ainsi entrevoir les troubles psychologiques de son auteur qui souffre très tôt d'hallucinations et de délires. De même, nombreuses sont les nouvelles qui s'inspirent de sa Normandie natale : l'univers paysan[1] et la société provinciale sont des thèmes chers à l'auteur. Son expérience de la guerre contre la Prusse en 1870-1871 donne aussi lieu à un certain nombre de nouvelles, comme *Boule de suif* ou *Mademoiselle Fifi*.

Maupassant, entre la Normandie où il retourne régulièrement et les bords de Seine où il passe ses fins de semaine pour oublier la monotonie et la médiocrité de son travail, s'inspire aussi de Paris où il habite, capitale alors en pleine transformation, saignée par les grands travaux du baron Haussmann. Paris, sa population, ses mœurs, ses intrigues sont pour l'écrivain un vaste champ d'observation.

Les cinq nouvelles présentes dans ce recueil se déroulent toutes à Paris, un Paris esquissé à travers quelques mentions de lieux précis, comme le cimetière Montmartre, le Palais-Royal et le quartier de Saint-Lazare, où se jouent des scènes aussi différentes qu'une rencontre (*Le Rendez-vous*, *Les Tombales*), un suicide (*Un lâche*), des bals (*Le Masque*, *La Parure*), dans un univers bourgeois, aristocratique ou populaire.

---

1. On pourra notamment se reporter au recueil intitulé *Le Papa de Simon et autres nouvelles*, GF-Flammarion, « Étonnants Classiques », n° 4, 2006.

Ces histoires de citadins et de citadines, dans une grande ville pressée comme Paris, ne pouvaient être mieux rendues que par la nouvelle. Maupassant surprend sur le fait ses personnages. Il saisit le moment où leur vie change ou bascule : la perte d'un collier ruine les rêves bourgeois de Mathilde Loisel ; Jeanne Haggan découvre son aversion pour un amant trop amoureux ; le vicomte de Signoles, déstabilisé au plus profond de lui à l'idée de se battre, se suicide ; le héros du *Masque* est rattrapé par une décrépitude qu'il tentait de dissimuler et le narrateur des *Tombales* conte ses amours éphémères avec une jeune femme mystérieuse. Le regard observateur de Maupassant s'exerce avec une acuité particulière. Il dévoile les tourments et les pensées de ses héros, leurs hésitations et leurs sentiments, et décrit Paris comme un lieu d'amour, de mort et de misère.

Femmes, amours et mort

Maupassant dépeint dans ces nouvelles une véritable galerie de femmes. Protagonistes de quatre nouvelles sur cinq, elles sont citadines, jeunes ou vieilles, bourgeoises ou simples filles, misérables ou aisées, courageuses ou volages, mystérieuses ou sincères. L'auteur y apparaît comme un fin psychologue, saisissant, malgré la brièveté du récit, l'âme des femmes. Peintre des femmes, il est aussi analyste de l'amour et du mariage. Ces derniers sont jugés insatisfaisants et décevants, comme dans *La Parure* ou dans *Le Masque*, et même l'adultère évoqué dans *Le Rendez-vous* n'échappe pas aux platitudes de l'amour. La condition humaine est aussi présente à travers le thème du vieillissement, auquel on tente d'échapper par une vie de débauche (*Le Masque*), ou auquel on est condamné prématurément comme dans *La Parure*. Un des thèmes récurrents est celui du masque : c'est l'image métaphorique ou réelle de la dissimulation et du mensonge. Et dans ces cinq nouvelles, on ment et on se ment à soi-même, on trompe et on se cache : Paris apparaît comme le théâtre des apparences où les personnages jouent un rôle.

Se dégage alors un certain pessimisme : le monde n'est que solitude, misère morale ou matérielle, déception, illusions, amours éphémères ou malheureuses... Pourtant, Maupassant se garde bien d'être un moraliste : il laisse au lecteur le soin de juger et peut-être de réfléchir sur le bonheur et la faculté d'être heureux...

CHRONOLOGIE

1850 1893
1850 1893

■ Repères historiques et culturels

■ Vie et œuvre de l'auteur

Repères historiques et culturels

1848	Fin de la monarchie de Juillet. Début de la IIe République.
1851-1852	Coup d'État de Louis Napoléon Bonaparte et début du Second Empire. Louis Napoléon Bonaparte devient Napoléon III.
1851	*Les Châtiments* de Victor Hugo, long pamphlet contre l'Empire et l'empereur.
1856	Publication à Paris des *Histoires extraordinaires*, recueil de nouvelles fantastiques d'Edgar Allan Poe, traduites par Charles Baudelaire.
1857	*Les Fleurs du mal* de Charles Baudelaire. *Madame Bovary* de Gustave Flaubert.
1862	*Les Misérables* de Victor Hugo.
1866	*Lettres de mon moulin*, recueil de nouvelles d'Alphonse Daudet.
1869	*L'Éducation sentimentale* de Gustave Flaubert.

Vie et œuvre de l'auteur

1850   Naissance de Guy de Maupassant en Normandie,
           près de Dieppe, dans une famille de la petite noblesse
           provinciale.

1856   Naissance d'Hervé de Maupassant, frère de Guy,
           qui mourra fou en 1880.

1860   Séparation des parents de Maupassant. Guy et Hervé
           sont confiés à leur mère, qui s'installe près d'Étretat.

1863-1868   Maupassant est pensionnaire dans un collège religieux
                à Yvetot.

1868-1869   Renvoyé de sa pension, il entre comme interne
                dans un lycée de Rouen, où il obtient son baccalauréat.
                Chaque dimanche, il retrouve son correspondant,
                le poète Louis Bouilhet, qui le présente à Gustave Flaubert.
                Les deux hommes sont les premiers maîtres
                en littérature du jeune homme.

1869-1870   Il commence une licence de droit à Paris, interrompue
                dès la première année par la guerre contre la Prusse.

Repères historiques et culturels

1870 Le baron Haussmann, préfet de la Seine, voit s'achever les grands travaux menés à Paris à son initiative.

1871 Guerre contre la Prusse et invasion de la France. L'armée française capitule rapidement et Napoléon III est fait prisonnier à Sedan. C'est la fin du Second Empire et le début de la IIIe République, marqué par l'épisode de la Commune de Paris.

1874 Première exposition des peintres impressionnistes.

1877 *L'Assommoir*, roman naturaliste d'Émile Zola.
Trois contes de Gustave Flaubert.

1880 Mort de Gustave Flaubert.
Publication du recueil de nouvelles *Les Soirées de Médan* sous l'autorité d'Émile Zola.
Lois de Jules Ferry sur l'enseignement primaire, gratuit, laïque et obligatoire.

Vie et œuvre de l'auteur

1870-1871 Mobilisé, Maupassant est affecté à l'Intendance
à Rouen, d'où il assiste à la défaite française.

1872-1880 Il entre au ministère de la Marine et des Colonies, puis,
en 1879, au ministère de l'Instruction publique.
Il apprend le métier d'écrivain avec Gustave Flaubert,
se distrait le dimanche dans les guinguettes des bords
de Seine, affectionne les parties joyeuses de canotage,
s'exerce au pistolet et à l'épée où il excelle et multiplie
les conquêtes féminines malgré l'apparition de troubles
de santé (syphilis).

1880 Parution de *Boule de suif*, sa première nouvelle
importante, dans un recueil intitulé *Les Soirées de Médan*
regroupant autour d'Émile Zola les jeunes romanciers
de l'époque.
La mort de Gustave Flaubert affecte Maupassant qui
quitte le ministère et décide de commencer une nouvelle
existence. Il entre au journal *Le Gaulois*, voyage dans
le Midi et en Corse : il veut désormais vivre uniquement
de sa plume.

Repères historiques et culturels

1885	Mort de Victor Hugo. *Germinal* d'Émile Zola.
1889	Exposition universelle de Paris : inauguration de la tour Eiffel.

Vie et œuvre de l'auteur

1881-1890 Pendant une décennie, Maupassant ne cesse d'écrire :
il signe plus de trois cents contes et nouvelles dont
les recueils les plus connus sont *La Maison Tellier* (1881),
Mademoiselle Fifi (1882), *Contes de la Bécasse* (1883),
Contes du jour et de la nuit (1885), *Le Horla* (1887),
La Main gauche (1889), six romans dont *Une vie* (1883),
Bel-Ami (1885), *Pierre et Jean* (1888), *Fort comme
la mort* (1889), et une multitude de chroniques et récits
de voyage qui, comme la plupart de ses nouvelles,
sont publiés dans les journaux.

1890 Sa santé se détériore subitement. Des troubles physiques
et nerveux l'empêchent peu à peu d'écrire. Il tente
de se suicider et est aussitôt interné dans la clinique
du Dr Blanche à Paris. Il souffre de paralysie et devient
progressivement fou.

1893 Maupassant meurt le 6 juillet après une longue
et douloureuse agonie.

■ Jean Béraud, *Une soirée*, 1878 (musée d'Orsay).

À la fin du siècle dernier, Jean Béraud (1849-1936) s'est imposé comme le peintre de la vie parisienne moderne.

La Parure

C'était une de ces jolies et charmantes filles, nées, comme par une erreur du destin, dans une famille d'employés. Elle n'avait pas de dot[1], pas d'espérances, aucun moyen d'être connue, comprise, aimée, épousée par un homme riche et distingué : et elle se laissa marier avec un petit commis[2] du ministère de l'Instruction publique[3].

Elle fut simple, ne pouvant être parée, mais malheureuse comme une déclassée[4] : car les femmes n'ont point de caste ni de race, leur beauté, leur grâce et leur charme leur servant de naissance et de famille. Leur finesse native, leur instinct d'élégance, leur souplesse d'esprit sont leur seule hiérarchie, et font des filles du peuple les égales des plus grandes dames.

Elle souffrait sans cesse, se sentant née pour toutes les délicatesses et tous les luxes. Elle souffrait de la pauvreté de son logement, de la misère des murs, de l'usure des sièges, de la laideur des étoffes. Toutes ces choses, dont une autre femme de sa caste ne se serait même pas aperçue, la torturaient et l'indignaient. La vue de la petite Bretonne qui faisait son humble ménage éveillait en elle des regrets désolés et des rêves éperdus.

---

1. *Dot* : bien qu'une femme apporte en se mariant.
2. *Commis* : petit fonctionnaire.
3. *Ministère de l'Instruction publique* : ancien nom du ministère de l'Éducation nationale.
4. *Déclassée* : se dit d'une personne qui passe dans une classe sociale inférieure.

20 Elle songeait aux antichambres[1] muettes, capitonnées[2] avec des
tentures orientales, éclairées par de hautes torchères[3] de bronze,
et aux deux grands valets en culotte courte qui dorment dans les
larges fauteuils, assoupis par la chaleur lourde du calorifère[4]. Elle
songeait aux grands salons vêtus de soie ancienne, aux meubles
25 fins portant des bibelots inestimables, et aux petits salons
coquets, parfumés, faits pour la causerie de cinq heures avec les
amis les plus intimes, les hommes connus et recherchés dont
toutes les femmes envient et désirent l'attention.

Quand elle s'asseyait, pour dîner, devant la table ronde cou-
30 verte d'une nappe de trois jours, en face de son mari qui
découvrait la soupière en déclarant d'un air enchanté : « Ah ! le
bon pot-au-feu ! je ne sais rien de meilleur que cela… », elle songeait aux dîners fins, aux argenteries reluisantes, aux tapisseries
peuplant les murailles de personnages anciens et d'oiseaux
35 étranges au milieu d'une forêt de féerie ; elle songeait aux plats
exquis servis en des vaisselles merveilleuses, aux galanteries
chuchotées et écoutées avec un sourire de sphinx[5], tout en man-
geant la chair rose d'une truite ou des ailes de gélinotte[6].

Elle n'avait pas de toilettes, pas de bijoux, rien. Et elle n'ai-
40 mait que cela ; elle se sentait faite pour cela. Elle eût tant désiré
plaire, être enviée, être séduisante et recherchée.

Elle avait une amie riche, une camarade de couvent qu'elle ne
voulait plus aller voir, tant elle souffrait en revenant. Et elle pleurait pendant des jours entiers, de chagrin, de regret, de désespoir
45 et de détresse.

*
* *

---

1. *Antichambres* : pièces où l'on attend d'être reçu.
2. *Capitonnées* : recouvertes par des tentures rembourrées.
3. *Torchères* : appliques lumineuses.
4. *Calorifère* : appareil de chauffage.
5. *Sphinx* : monstre mythologique énigmatique et mystérieux.
6. *Gélinotte* : oiseau voisin de la perdrix.

Or, un soir, son mari rentra, l'air glorieux et tenant à la main une large enveloppe.

« Tiens, dit-il, voici quelque chose pour toi. »

Elle déchira vivement le papier et en tira une carte imprimée qui portait ces mots :

« *Le ministre de l'Instruction publique et Mme Georges Ramponneau prient M. et Mme Loisel de leur faire l'honneur de venir passer la soirée à l'hôtel du ministère, le lundi 18 janvier.* »

Au lieu d'être ravie, comme l'espérait son mari, elle jeta avec dépit [1] l'invitation sur la table, murmurant :

« Que veux-tu que je fasse de cela ?

– Mais, ma chérie, je pensais que tu serais contente. Tu ne sors jamais, et c'est une occasion, cela, une belle ! J'ai eu une peine infinie à l'obtenir. Tout le monde en veut ; c'est très recherché et on n'en donne pas beaucoup aux employés. Tu verras là tout le monde officiel. »

Elle le regardait d'un œil irrité, et elle déclara avec impatience :

« Que veux-tu que je me mette sur le dos pour aller là ? »

Il n'y avait pas songé ; il balbutia :

« Mais la robe avec laquelle tu vas au théâtre. Elle me semble très bien, à moi... »

Il se tut, stupéfait, éperdu, en voyant que sa femme pleurait. Deux grosses larmes descendaient lentement des coins des yeux vers les coins de la bouche ; il bégaya :

« Qu'as-tu ? qu'as-tu ? »

Mais, par un effort violent, elle avait dompté sa peine et elle répondit d'une voix calme en essuyant ses joues humides :

« Rien. Seulement je n'ai pas de toilette et par conséquent je ne peux aller à cette fête. Donne ta carte à quelque collègue dont la femme sera mieux nippée [2] que moi. »

---

1. *Dépit* : chagrin mêlé de colère lié à une déception.
2. *Nippée* : (familier) habillée.

Il était désolé. Il reprit :

«Voyons, Mathilde. Combien cela coûterait-il, une toilette convenable, qui pourrait te servir encore en d'autres occasions, quelque chose de très simple ? »

80 Elle réfléchit quelques secondes, établissant ses comptes et songeant aussi à la somme qu'elle pouvait demander sans s'attirer un refus immédiat et une exclamation effarée du commis[1] économe.

Enfin, elle répondit en hésitant :

85 «Je ne sais pas au juste, mais il me semble qu'avec quatre cents francs je pourrais arriver. »

Il avait un peu pâli, car il réservait juste cette somme pour acheter un fusil et s'offrir des parties de chasse, l'été suivant, dans la plaine de Nanterre, avec quelques amis qui allaient tirer 90 des alouettes, par là, le dimanche.

Il dit cependant :

«Soit. Je te donne quatre cents francs. Mais tâche d'avoir une belle robe. »

*
* *

Le jour de la fête approchait, et Mme Loisel semblait triste, 95 inquiète, anxieuse. Sa toilette était prête cependant. Son mari lui dit un soir :

«Qu'as-tu ? Voyons, tu es toute drôle depuis trois jours. »

Et elle répondit :

«Cela m'ennuie de n'avoir pas un bijou, pas une pierre, rien à 100 mettre sur moi. J'aurai l'air misère comme tout. J'aimerais presque mieux ne pas aller à cette soirée. »

---

1. Commis : voir la note 2, p. 21.

Il reprit :

« Tu mettras des fleurs naturelles. C'est très chic en cette saison-ci. Pour dix francs tu auras deux ou trois roses magnifiques. »

105   Elle n'était point convaincue.

« Non… il n'y a rien de plus humiliant que d'avoir l'air pauvre au milieu de femmes riches. »

Mais son mari s'écria :

« Que tu es bête ! Va trouver ton amie Mme Forestier et
110 demande-lui de te prêter des bijoux. Tu es bien assez liée avec elle pour faire cela. »

Elle poussa un cri de joie.

« C'est vrai. Je n'y avais point pensé. »

Le lendemain, elle se rendit chez son amie et lui conta sa
115 détresse.

Mme Forestier alla vers son armoire à glace, prit un large coffret, l'apporta, l'ouvrit, et dit à Mme Loisel :

« Choisis, ma chère. »

Elle vit d'abord des bracelets, puis un collier de perles, puis
120 une croix vénitienne, or et pierreries, d'un admirable travail. Elle essayait les parures [1] devant la glace, hésitait, ne pouvait se décider à les quitter, à les rendre. Elle demandait toujours :

« Tu n'as plus rien autre ?

– Mais si. Cherche. Je ne sais pas ce qui peut te plaire. »

125   Tout à coup elle découvrit, dans une boîte de satin noir, une superbe rivière de diamants [2] ; et son cœur se mit à battre d'un désir immodéré. Ses mains tremblaient en la prenant. Elle l'attacha autour de sa gorge, sur sa robe montante, et demeura en extase devant elle-même.

130   Puis, elle demanda, hésitante, pleine d'angoisse :

« Peux-tu me prêter cela, rien que cela ?

– Mais oui, certainement. »

---

1. *Les parures* : les bijoux.
2. *Rivière de diamants* : collier pavé de diamants.

Elle sauta au cou de son amie, l'embrassa avec emportement[1], puis s'enfuit avec son trésor.

*
* *

135 Le jour de la fête arriva. Mme Loisel eut un succès. Elle était plus jolie que toutes, élégante, gracieuse, souriante et folle de joie. Tous les hommes la regardaient, demandaient son nom, cherchaient à être présentés. Tous les attachés du cabinet[2] voulaient valser avec elle. Le ministre la remarqua.

140 Elle dansait avec ivresse, avec emportement, grisée par le plaisir, ne pensant plus à rien, dans le triomphe de sa beauté, dans la gloire de son succès, dans une sorte de nuage de bonheur fait de tous ces hommages, de toutes ces admirations, de tous ces désirs éveillés, de cette victoire si complète et si douce au cœur des femmes.

145 Elle partit vers quatre heures du matin. Son mari, depuis minuit, dormait dans un petit salon désert avec trois autres messieurs dont les femmes s'amusaient beaucoup.

Il lui jeta sur les épaules les vêtements qu'il avait apportés pour la sortie, modestes vêtements de la vie ordinaire, dont la 150 pauvreté jurait avec l'élégance de la toilette de bal. Elle le sentit et voulut s'enfuir, pour ne pas être remarquée par les autres femmes qui s'enveloppaient de riches fourrures.

Loisel la retenait :

«Attends donc. Tu vas attraper froid dehors. Je vais appeler 155 un fiacre[3].»

Mais elle ne l'écoutait point et descendait rapidement l'escalier. Lorsqu'ils furent dans la rue, ils ne trouvèrent pas de voiture ; et ils se mirent à chercher, criant après les cochers qu'ils voyaient passer de loin.

---

1. *Avec emportement* : avec enthousiasme.
2. *Les attachés du cabinet* : les membres du ministère.
3. *Fiacre* : voiture à cheval, équivalent de notre taxi moderne.

160 Ils descendaient vers la Seine, désespérés, grelottants. Enfin ils trouvèrent sur le quai un de ces vieux coupés noctambules qu'on ne voit dans Paris que la nuit venue, comme s'ils eussent été honteux de leur misère pendant le jour.

Il les ramena jusqu'à leur porte, rue des Martyrs[1], et ils
165 remontèrent tristement chez eux. C'était fini, pour elle. Et il songeait, lui, qu'il faudrait être au Ministère à dix heures.

Elle ôta les vêtements dont elle s'était enveloppé les épaules, devant la glace, afin de se voir encore une fois dans sa gloire. Mais soudain elle poussa un cri. Elle n'avait plus sa rivière[2] autour du cou.

170 Son mari, à moitié dévêtu déjà, demanda :

« Qu'est-ce que tu as ? »

Elle se tourna vers lui, affolée :

« J'ai… j'ai… je n'ai plus la rivière de Mme Forestier. »

Il se dressa, éperdu :

175 « Quoi !… comment !… Ce n'est pas possible ! »

Et ils cherchèrent dans les plis de la robe, dans les plis du manteau, dans les poches, partout. Ils ne la trouvèrent point.

Il demandait :

« Tu es sûre que tu l'avais encore en quittant le bal ?

180 — Oui, je l'ai touchée dans le vestibule[3] du Ministère.

— Mais si tu l'avais perdue dans la rue, nous l'aurions entendue tomber. Elle doit être dans le fiacre.

— Oui. C'est probable. As-tu pris le numéro ?

— Non. Et toi, tu ne l'as pas regardé ?

185 — Non. »

Ils se contemplaient atterrés. Enfin Loisel se rhabilla.

« Je vais, dit-il, refaire tout le trajet que nous avons fait à pied, pour voir si je ne la retrouverai pas. »

---

1. Rue des Martyrs : rue montant vers Montmartre située dans le IXe arrondissement de Paris.
2. Rivière : voir la note 2, p. 25.
3. Vestibule : pièce d'entrée d'un bâtiment.

Et il sortit. Elle demeura en toilette de soirée, sans force pour
190 se coucher, abattue sur une chaise, sans feu, sans pensée.

Son mari rentra vers sept heures. Il n'avait rien trouvé.

Il se rendit à la Préfecture de police, aux journaux, pour faire
promettre une récompense, aux compagnies de petites voitures,
partout enfin où un soupçon d'espoir le poussait.

195 Elle attendit tout le jour, dans le même état d'effarement
devant cet affreux désastre.

Loisel revint le soir, avec la figure creusée, pâlie ; il n'avait
rien découvert.

« Il faut, dit-il, écrire à ton amie que tu as brisé la fermeture de
200 sa rivière et que tu la fais réparer. Cela nous donnera le temps de
nous retourner. »

Elle écrivit sous sa dictée.

*

* *

Au bout d'une semaine, ils avaient perdu toute espérance.

Et Loisel, vieilli de cinq ans, déclara :

205 « Il faut aviser [1] à remplacer ce bijou. »

Ils prirent, le lendemain, la boîte qui l'avait renfermé, et se
rendirent chez le joaillier, dont le nom se trouvait dedans. Il
consulta ses livres :

« Ce n'est pas moi, madame, qui ai vendu cette rivière ; j'ai dû
210 seulement fournir l'écrin [2]. »

Alors ils allèrent de bijoutier en bijoutier, cherchant une parure
pareille à l'autre, consultant leurs souvenirs, malades tous deux de
chagrin et d'angoisse.

Ils trouvèrent, dans une boutique du Palais-Royal [3], un chape-
215 let de diamants qui leur parut entièrement semblable à celui qu'ils

---

1. *Aviser à* : songer à.

2. *Écrin* : coffret où l'on range les bijoux.

3. *Le Palais-Royal* : ensemble d'immeubles regroupés autour d'un grand
jardin et situé près du Louvre.

cherchaient. Il valait quarante mille francs. On le leur laisserait à trente-six mille.

Ils prièrent donc le joaillier de ne pas le vendre avant trois jours. Et ils firent condition qu'on le reprendrait pour trente-
220 quatre mille francs, si le premier était retrouvé avant la fin de février.

Loisel possédait dix-huit mille francs que lui avait laissés son père. Il emprunterait le reste.

Il emprunta, demandant mille francs à l'un, cinq cents à
225 l'autre, cinq louis[1] par-ci, trois louis par-là. Il fit des billets[2], prit des engagements ruineux, eut affaire aux usuriers[3], à toutes les races de prêteurs[4]. Il compromit toute la fin de son existence, risqua sa signature sans savoir même s'il pourrait y faire honneur, et, épouvanté par les angoisses de l'avenir, par la noire
230 misère qui allait s'abattre sur lui, par la perspective de toutes les privations physiques et de toutes les tortures morales, il alla chercher la rivière nouvelle, en déposant sur le comptoir du marchand trente-six mille francs.

Quand Mme Loisel reporta la parure à Mme Forestier, celle-ci
235 lui dit, d'un air froissé :

«Tu aurais dû me la rendre plus tôt, car je pouvais en avoir besoin.»

Elle n'ouvrit pas l'écrin, ce que redoutait son amie. Si elle s'était aperçue de la substitution, qu'aurait-elle pensé ? Qu'aurait-
240 elle dit ? Ne l'aurait-elle pas prise pour une voleuse ?

*
* *

---

1. *Louis* : ancienne monnaie d'or d'une valeur de 20 francs.
2. *Billets* : promesses écrites de payer une certaine somme.
3. *Usuriers* : personnes qui prêtent de l'argent avec un taux d'intérêt excessif.
4. *Prêteurs* : synonyme d'usuriers.

Mme Loisel connut la vie horrible des nécessiteux[1]. Elle prit son parti, d'ailleurs, tout d'un coup, héroïquement. Il fallait payer cette dette effroyable. Elle payerait. On renvoya la bonne ; on changea de logement ; on loua sous les toits une mansarde.

245 Elle connut les gros travaux du ménage, les odieuses besognes de la cuisine. Elle lava la vaisselle, usant ses ongles roses sur les poteries grasses et le fond des casseroles. Elle savonna le linge sale, les chemises et les torchons, qu'elle faisait sécher sur une corde ; elle descendit à la rue, chaque matin, les ordures, et monta
250 l'eau, s'arrêtant à chaque étage pour souffler. Et, vêtue comme une femme du peuple, elle alla chez le fruitier, chez l'épicier, chez le boucher, le panier au bras, marchandant, injuriée, défendant sou à sou son misérable argent.

Il fallait chaque mois payer des billets, en renouveler d'autres,
255 obtenir du temps.

Le mari travaillait, le soir, à mettre au net les comptes d'un commerçant, et la nuit, souvent, il faisait de la copie à cinq sous la page.

Et cette vie dura dix ans.

260 Au bout de dix ans, ils avaient tout restitué, tout, avec le taux de l'usure[2], et l'accumulation des intérêts superposés.

Mme Loisel semblait vieille, maintenant. Elle était devenue la femme forte, et dure, et rude, des ménages pauvres. Mal peignée, avec les jupes de travers et les mains rouges, elle parlait haut, lavait
265 à grande eau les planchers. Mais parfois, lorsque son mari était au bureau, elle s'asseyait auprès de la fenêtre, et elle songeait à cette soirée d'autrefois, à ce bal où elle avait été si belle et si fêtée.

Que serait-il arrivé si elle n'avait point perdu cette parure ? Qui sait ? qui sait ? Comme la vie est singulière, changeante !
270 Comme il faut peu de chose pour vous perdre ou vous sauver !

---

1. *Nécessiteux* : qui manquent du nécessaire ; synonyme de pauvres.
2. *Le taux de l'usure* : le taux d'intérêt de l'argent emprunté.

*

* *

Or, un dimanche, comme elle était allée faire un tour aux Champs-Élysées pour se délasser des besognes de la semaine, elle aperçut tout à coup une femme qui promenait un enfant. C'était Mme Forestier, toujours jeune, toujours belle, toujours
275 séduisante. Mme Loisel se sentit émue. Allait-elle lui parler ? Oui, certes. Et maintenant qu'elle avait payé, elle lui dirait tout. Pourquoi pas ?

Elle s'approcha.

« Bonjour Jeanne. »

280 L'autre ne la reconnaissait point, s'étonnant d'être appelée ainsi familièrement par cette bourgeoise. Elle balbutia :

« Mais… madame !… Je ne sais… Vous devez vous tromper.

– Non. Je suis Mathilde Loisel. »

Son amie poussa un cri :

285 « Oh !… ma pauvre Mathilde, comme tu es changée !…

– Oui, j'ai eu des jours bien durs, depuis que je ne t'ai vue ; et bien des misères… et cela à cause de toi !…

– De moi… Comment ça ?

– Tu te rappelles bien cette rivière de diamants que tu m'as
290 prêtée pour aller à la fête du Ministère.

– Oui. Eh bien ?

– Eh bien, je l'ai perdue.

– Comment ! puisque tu me l'as rapportée.

– Je t'en ai rapporté une autre toute pareille. Et voilà dix ans
295 que nous la payons. Tu comprends que ça n'était pas aisé pour nous, qui n'avions rien… Enfin, c'est fini et je suis rudement contente. »

Mme Forestier s'était arrêtée.

« Tu dis que tu as acheté une rivière de diamants pour rem-
300 placer la mienne ?

– Oui. Tu ne t'en étais pas aperçue, hein ? Elles étaient bien pareilles. »

Et elle souriait d'une joie orgueilleuse et naïve.

Mme Forestier, fort émue, lui prit les deux mains.

305 « Oh ! ma pauvre Mathilde ! Mais la mienne était fausse. Elle valait au plus cinq cents francs !... »

■ *Boulevard des Italiens, le café Tortoni*, lithographie de Guérard, 1856.

Un lâche

On l'appelait dans le monde : le « beau Signoles ». Il se nommait le vicomte Gontran-Joseph de Signoles.

Orphelin et maître d'une fortune suffisante, il faisait figure, comme on dit. Il avait de la tournure[1] et de l'allure, assez de parole pour faire croire à de l'esprit, une certaine grâce naturelle, un air de noblesse et de fierté, la moustache brave et l'œil doux, ce qui plaît aux femmes.

Il était demandé dans les salons, recherché par les valseuses, et il inspirait aux hommes cette inimitié[2] souriante qu'on a pour les gens de figure énergique. On lui avait soupçonné quelques amours capables de donner fort bonne opinion d'un garçon. Il vivait heureux, tranquille, dans le bien-être moral le plus complet. On savait qu'il tirait bien l'épée et mieux encore le pistolet.

« Quand je me battrai, disait-il, je choisirai le pistolet. Avec cette arme, je suis sûr de tuer mon homme. »

Or, un soir, comme il avait accompagné au théâtre deux jeunes femmes de ses amies, escortées d'ailleurs de leurs époux, il leur offrit, après le spectacle, de prendre une glace chez Tortoni. Ils étaient entrés depuis quelques minutes, quand il s'aperçut qu'un monsieur assis à une table voisine regardait avec obstination une

---

1. *De la tournure* : de l'élégance dans la façon de se tenir.
2. *Inimitié* : contraire d'amitié ; haine, aversion.

de ses voisines. Elle semblait gênée, inquiète, baissait la tête. Enfin elle dit à son mari :

« Voici un homme qui me dévisage. Moi, je ne le connais pas ; le connais-tu ? »

Le mari, qui n'avait rien vu, leva les yeux mais déclara :

« Non, pas du tout. »

La jeune femme reprit, moitié souriante, moitié fâchée :

« C'est fort gênant ; cet individu me gâte ma glace. »

Le mari haussa les épaules :

« Bast ! n'y fais pas attention. S'il fallait s'occuper de tous les insolents qu'on rencontre, on n'en finirait pas. »

Mais le vicomte s'était levé brusquement. Il ne pouvait admettre que cet inconnu gâtât une glace qu'il avait offerte. C'était à lui que l'injure s'adressait, puisque c'était par lui et pour lui que ses amis étaient entrés dans ce café. L'affaire donc ne regardait que lui.

Il s'avança vers l'homme et lui dit :

« Vous avez, Monsieur, une manière de regarder ces dames que je ne puis tolérer. Je vous prie de vouloir bien cesser cette insistance. »

L'autre répliqua :

« Vous allez me ficher la paix, vous. »

Le vicomte déclara, les dents serrées :

« Prenez garde, Monsieur, vous allez me forcer à passer la mesure. »

Le monsieur ne répondit qu'un mot, un mot ordurier qui sonna d'un bout à l'autre du café, et fit, comme par l'effet d'un ressort, accomplir à chaque consommateur un mouvement brusque. Tous ceux qui tournaient le dos se retournèrent ; tous les autres levèrent la tête ; trois garçons pivotèrent sur leurs talons comme des toupies ; les deux dames du comptoir eurent un sursaut, puis une conversion du torse entier, comme si elles eussent été deux automates obéissant à la même manivelle.

Un grand silence s'était fait. Puis, tout à coup, un bruit sec claqua dans l'air : le vicomte avait giflé son adversaire. Tout le monde se leva pour s'interposer. Des cartes furent échangées [1].

*
* *

Quand le vicomte fut rentré chez lui, il marcha pendant quelques minutes à grands pas vifs, à travers sa chambre. Il était trop agité pour réfléchir à rien. Une seule idée planait sur son
60 esprit : « un duel », sans que cette idée éveillât encore en lui une émotion quelconque. Il avait fait ce qu'il devait faire ; il s'était montré ce qu'il devait être. On en parlerait, on l'approuverait, on le féliciterait. Il répétait à voix haute, parlant comme on parle dans les grands troubles de pensée :
65 « Quelle brute que cet homme ! »
Puis il s'assit et se mit à réfléchir. Il lui fallait, dès le matin, trouver des témoins [2]. Qui choisirait-il ? Il cherchait les gens les plus posés et les plus célèbres de sa connaissance. Il prit enfin le marquis de La Tour-Noire et le colonel Bourdin, un grand sei-
70 gneur et un soldat, c'était fort bien. Leurs noms porteraient dans les journaux. Il s'aperçut qu'il avait soif et il but, coup sur coup, trois verres d'eau ; puis il se remit à marcher. Il se sentait plein d'énergie. En se montrant crâne [3], résolu à tout, et en exigeant des conditions rigoureuses, dangereuses, en réclamant un duel
75 sérieux, très sérieux, terrible, son adversaire reculerait probable-ment et ferait des excuses.
Il reprit la carte qu'il avait tirée de sa poche et jetée sur sa table et il la relut comme il l'avait déjà lue, au café, d'un coup

---

1. Des cartes furent échangées : l'échange des cartes de visite signifiait que l'on allait se battre en duel ; celui-ci est rendu inévitable par la gifle du vicomte qui est une provocation.
2. Témoins : il faut des témoins à chaque duelliste pour vérifier le bon déroulement du duel.
3. Crâne : fier et décidé.

d'œil et, dans le fiacre[1], à la lueur de chaque bec de gaz, en
80 revenant. « Georges Lamil, 51, rue Moncey. » Rien de plus.

Il examinait ces lettres assemblées qui lui paraissaient mystérieuses, pleines de sens confus : Georges Lamil ! Qui était cet
homme ? Que faisait-il ? Pourquoi avait-il regardé cette femme
d'une pareille façon ? N'était-ce pas révoltant qu'un étranger, un
85 inconnu vînt troubler ainsi votre vie, tout d'un coup, parce qu'il
lui avait plu de fixer insolemment les yeux sur une femme ? Et le
vicomte répéta encore une fois, à haute voix :

« Quelle brute ! »

Puis il demeura immobile, debout, songeant, le regard tou-
90 jours planté sur la carte. Une colère s'éveillait en lui contre ce
morceau de papier, une colère haineuse où se mêlait un étrange
sentiment de malaise. C'était stupide, cette histoire-là ! Il prit un
canif ouvert sous sa main et le piqua au milieu du nom imprimé,
comme s'il eût poignardé quelqu'un.

95 Donc il fallait se battre ! Choisirait-il l'épée ou le pistolet ? Car
il se considérait bien comme l'insulté. Avec l'épée, il risquait
moins ; mais avec le pistolet il avait chance de faire reculer son
adversaire. Il est bien rare qu'un duel à l'épée soit mortel, une
prudence réciproque empêchant les combattants de se tenir en
100 garde assez près l'un de l'autre pour qu'une pointe entre
profondément. Avec le pistolet il risquait sa vie sérieusement ;
mais il pouvait aussi se tirer d'affaire avec tous les honneurs de la
situation et sans arriver à une rencontre.

Il prononça :

105 « Il faut être ferme. Il aura peur. »

Le son de sa voix le fit tressaillir et il regarda autour de lui. Il se
sentait fort nerveux. Il but encore un verre d'eau, puis commença à
se dévêtir pour se coucher.

Dès qu'il fut au lit, il souffla sa lumière et ferma les yeux.

---

1. *Fiacre* : voir la note 3, p. 26.

110 Il pensait :

« J'ai toute la journée de demain pour m'occuper de mes affaires. Dormons d'abord afin d'être calme. »

Il avait très chaud dans ses draps, mais il ne pouvait parvenir à s'assoupir. Il se tournait et se retournait, demeurait cinq minutes
115 sur le dos, puis se plaçait sur le côté gauche, puis se roulait sur le côté droit.

Il avait encore soif. Il se releva pour boire. Puis une inquiétude le saisit :

« Est-ce que j'aurais peur ? »

120 Pourquoi son cœur se mettait-il à battre follement à chaque bruit connu de sa chambre ? Quand la pendule allait sonner, le petit grincement du ressort qui se dresse lui faisait faire un sursaut ; et il lui fallait ouvrir la bouche pour respirer ensuite pendant quelques secondes, tant il demeurait oppressé.

125 Il se mit à raisonner avec lui-même sur la possibilité de cette chose :

« Aurais-je peur ? »

Non certes, il n'aurait pas peur, puisqu'il était résolu à aller jusqu'au bout, puisqu'il avait cette volonté bien arrêtée de se
130 battre, de ne pas trembler. Mais il se sentait si profondément troublé qu'il se demanda :

« Peut-on avoir peur, malgré soi ? »

Et ce doute l'envahit, cette inquiétude, cette épouvante ; si une force plus puissante que sa volonté, dominatrice, irrésistible, le
135 domptait, qu'arriverait-il ? Oui, que pouvait-il arriver ? Certes, il irait sur le terrain, puisqu'il voulait y aller. Mais s'il tremblait ? Mais s'il perdait connaissance ? Et il songea à sa situation, à sa réputation, à son nom.

Et un singulier besoin le prit tout à coup de se relever pour se
140 regarder dans la glace. Il ralluma sa bougie. Quand il aperçut son visage reflété dans le verre poli, il se reconnut à peine, et il lui sembla qu'il ne s'était jamais vu. Ses yeux lui parurent énormes ; et il était pâle, certes, il était pâle, très pâle.

Il restait debout en face du miroir. Il tira la langue comme pour
145 constater l'état de sa santé, et tout d'un coup cette pensée entra en
lui à la façon d'une balle :

«Après-demain, à cette heure-ci, je serai peut-être mort.»

Et son cœur se remit à battre furieusement.

«Après-demain à cette heure-ci, je serai peut-être mort. Cette
150 personne en face de moi, ce moi que je vois dans cette glace, ne
sera plus. Comment ! me voici, je me regarde, je me sens vivre, et
dans vingt-quatre heures je serai couché dans ce lit, mort, les yeux
fermés, froid, inanimé, disparu.»

Il se retourna vers la couche et il se vit distinctement étendu
155 sur le dos dans ces mêmes draps qu'il venait de quitter. Il avait ce
visage creux qu'ont les morts et cette mollesse des mains qui ne
remueront plus.

Alors il eut peur de son lit et, pour ne plus le regarder, il passa
dans son fumoir [1]. Il prit machinalement un cigare, l'alluma et se
160 remit à marcher. Il avait froid ; il alla vers la sonnette pour réveiller
son valet de chambre ; mais il s'arrêta, la main levée vers le cordon :

«Cet homme va s'apercevoir que j'ai peur.»

Et il ne sonna pas, il fit du feu. Ses mains tremblaient un peu,
d'un frémissement nerveux, quand elles touchaient les objets. Sa
165 tête s'égarait ; ses pensées, troubles, devenaient fuyantes, brusques,
douloureuses ; une ivresse envahissait son esprit comme s'il eût bu.

Et sans cesse il se demandait :

«Que vais-je faire ? Que vais-je devenir ?»

Tout son corps vibrait, parcouru de tressaillements saccadés ;
170 il se releva et, s'approchant de la fenêtre, ouvrit les rideaux.

Le jour venait, un jour d'été. Le ciel rose faisait roses la ville, les
toits et les murs. Une grande tombée de lumière tendue, pareille à
une caresse du soleil levant, enveloppait le monde réveillé ; et,
avec cette lueur, un espoir gai, rapide, brutal, envahit le cœur du
175 vicomte ! Était-il fou de s'être laissé ainsi terrasser par la crainte,

---

1. *Fumoir* : pièce d'un appartement où les hommes se tenaient pour fumer.

avant même que rien fût décidé, avant que ses témoins eussent vu ceux de ce Georges Lamil, avant qu'il sût encore s'il allait seulement se battre ?

Il fit sa toilette, s'habilla et sortit d'un pas ferme.

*
* *

180 Il se répétait, tout en marchant :

« Il faut que je sois énergique, très énergique. Il faut que je prouve que je n'ai pas peur. »

Ses témoins, le marquis et le colonel, se mirent à sa disposition, et après lui avoir serré énergiquement les mains, discutèrent 185 les conditions.

Le colonel demanda :

« Vous voulez un duel sérieux ? »

Le vicomte répondit :

« Très sérieux. »

190 Le marquis reprit :

« Vous tenez au pistolet ?

– Oui.

– Nous laissez-vous libres de régler le reste ? »

Le vicomte articula d'une voix sèche, saccadée :

195 « Vingt pas [1], au commandement, en levant l'arme au lieu de l'abaisser. Échange de balles jusqu'à blessure grave. »

Le colonel déclara d'un ton satisfait :

« Ce sont des conditions excellentes. Vous tirez bien, toutes les chances sont pour vous. »

200 Et ils partirent. Le vicomte rentra chez lui pour les attendre. Son agitation, apaisée un moment, grandissait maintenant de minute en minute. Il se sentait le long des bras, le long des jambes, dans la poitrine, une sorte de frémissement, de vibration continue ;

---

1. *Vingt pas* : distance entre les deux duellistes.

il ne pouvait tenir en place, ni assis, ni debout. Il n'avait plus dans
205 la bouche une apparence de salive, et il faisait à tout instant un
mouvement bruyant de la langue, comme pour la décoller de son
palais.

Il voulut déjeuner, mais il ne put manger. Alors l'idée lui vint
de boire pour se donner du courage, et il se fit apporter un cara-
210 fon de rhum dont il avala, coup sur coup, six petits verres.

Une chaleur, pareille à une brûlure, l'envahit, suivie aussitôt
d'un étourdissement de l'âme. Il pensa :

« Je tiens le moyen. Maintenant ça va bien. »

Mais au bout d'une heure il avait vidé le carafon, et son état
215 d'agitation redevenait intolérable. Il sentait un besoin fou de se
rouler par terre, de crier, de mordre. Le soir tombait.

Un coup de timbre [1] lui donna une telle suffocation qu'il n'eut
pas la force de se lever pour recevoir ses témoins.

Il n'osait même plus leur parler, leur dire « bonjour », pronon-
220 cer un seul mot, de crainte qu'ils ne devinassent tout à l'altération
de sa voix.

Le colonel prononça :

« Tout est réglé aux conditions que vous avez fixées. Votre
adversaire réclamait d'abord les privilèges d'offensé, mais il a
225 cédé presque aussitôt et a tout accepté. Ses témoins sont deux
militaires. »

Le vicomte prononça :

« Merci. »

Le marquis reprit :

230 « Excusez-nous si nous ne faisons qu'entrer et sortir, mais
nous avons encore à nous occuper de mille choses. Il faut un bon
médecin, puisque le combat ne cessera qu'après blessure grave, et
vous savez que les balles ne badinent pas. Il faut désigner l'endroit,
à proximité d'une maison pour y porter le blessé si c'est nécessaire,
235 etc. ; enfin, nous en avons encore pour deux ou trois heures. »

---

1. *Coup de timbre* : coup de sonnette.

Le vicomte articula une seconde fois :
« Merci. »
Le colonel demanda :
« Vous allez bien ? vous êtes calme ?
240 – Oui, très calme, merci. »
Les deux hommes se retirèrent.

*
* *

Quand il se sentit seul de nouveau, il lui sembla qu'il devenait fou. Son domestique ayant allumé les lampes, il s'assit devant sa table pour écrire des lettres. Après avoir tracé, au haut d'une
245 page : « Ceci est mon testament… », il se releva d'une secousse et s'éloigna, se sentant incapable d'unir deux idées, de prendre une résolution, de décider quoi que ce fût.

Ainsi, il allait se battre ! Il ne pouvait plus éviter cela. Que se passait-il donc en lui ? Il voulait se battre, il avait cette intention
250 et cette résolution fermement arrêtées ; et il sentait bien, malgré tout l'effort de son esprit et toute la tension de sa volonté, qu'il ne pourrait même conserver la force nécessaire pour aller jusqu'au lieu de la rencontre. Il cherchait à se figurer le combat, son attitude à lui et la tenue de son adversaire.

255 De temps en temps, ses dents s'entrechoquaient dans sa bouche avec un petit bruit sec. Il voulut lire, et prit le code du duel de Châteauvillard. Puis il se demanda :

« Mon adversaire a-t-il fréquenté les tirs ? Est-il connu ? Est-il classé ? Comment le savoir ? »
260 Il se souvint du livre du baron de Vaux sur les tireurs au pistolet, et il le parcourut d'un bout à l'autre. Georges Lamil n'y était pas nommé. Mais cependant si cet homme n'était pas un tireur, il n'aurait pas accepté immédiatement cette arme dangereuse et ces conditions mortelles !

265   Il ouvrit, en passant, une boîte de Gastinne Renette [1] posée sur un guéridon, et prit un des pistolets, puis il se plaça comme pour tirer et leva le bras. Mais il tremblait des pieds à la tête et le canon remuait dans tous les sens.

    Alors, il se dit :

270   « C'est impossible. Je ne puis me battre ainsi. »

    Il regardait au bout du canon ce petit trou noir et profond qui crache la mort, il songeait au déshonneur, aux chuchotements dans les cercles, aux rires dans les salons, au mépris des femmes, aux allusions des journaux, aux insultes que lui jetteraient les

275 lâches.

    Il regardait toujours l'arme, et, levant le chien [2], il vit soudain une amorce briller dessous comme une petite flamme rouge. Le pistolet était demeuré chargé, par hasard, par oubli. Et il éprouva de cela une joie confuse, inexplicable.

280   S'il n'avait pas, devant l'autre, la tenue noble et calme qu'il faut, il serait perdu à tout jamais. Il serait taché, marqué d'un signe d'infamie [3], chassé du monde ! Et cette tenue calme et crâne, il ne l'aurait pas, il le savait, il le sentait. Pourtant il était brave, puisqu'il voulait se battre !… Il était brave, puisque… La pensée qui

285 l'effleura ne s'acheva même pas dans son esprit ; mais, ouvrant la bouche toute grande, il s'enfonça brusquement, jusqu'au fond de la gorge, le canon de son pistolet, et il appuya sur la gâchette…

    Quand son valet de chambre accourut, attiré par la détonation, il le trouva mort, sur le dos. Un jet de sang avait éclaboussé le

290 papier blanc sur la table et faisait une grande tache rouge au-dessous de ces quatre mots :

    « Ceci est mon testament. »

---

1. *Gastinne Renette* : un des plus célèbres armuriers de Paris.
2. *Chien* : pièce d'une arme à feu.
3. *Infamie* : déshonneur.

Le Rendez-vous

Son chapeau sur la tête, son manteau sur le dos, un voile noir sur le nez, un autre dans sa poche dont elle doublerait le premier quand elle serait montée dans le fiacre[1] coupable, elle battait du bout de son ombrelle la pointe de sa bottine, et demeurait assise dans sa chambre, ne pouvant se décider à sortir pour aller à ce rendez-vous.

Combien de fois, pourtant, depuis deux ans, elle s'était habillée ainsi, pendant les heures de Bourse de son mari, un agent de change[2] très mondain, pour rejoindre dans son logis de garçon le beau vicomte de Martelet, son amant !

La pendule derrière son dos battait les secondes vivement ; un livre à moitié lu bâillait sur le petit bureau de bois de rose, entre les fenêtres, et un fort parfum de violette, exhalé par deux petits bouquets baignant en deux mignons vases de Saxe[3] sur la cheminée, se mêlait à une vague odeur de verveine soufflée sournoisement par la porte du cabinet de toilette demeurée entrouverte.

L'heure sonna – trois heures – et la mit debout. Elle se retourna pour regarder le cadran, puis sourit, songeant : « Il m'attend déjà. Il va s'énerver. » Alors, elle sortit, prévint le valet de chambre qu'elle serait rentrée dans une heure au plus tard – un mensonge –, descendit l'escalier et s'aventura dans la rue, à pied.

---

1. *Fiacre* : voir la note 3, p. 26.
2. *Agent de change* : personne travaillant à la Bourse et gérant pour des clients des portefeuilles d'actions.
3. *Saxe* : porcelaine de Saxe (région d'Allemagne).

On était aux derniers jours de mai, à cette saison délicieuse
où le printemps de la campagne semble faire le siège de Paris et
le conquérir par-dessus les toits, envahir les maisons, à travers les
25 murs, faire fleurir la ville, y répandre une gaieté sur la pierre des
façades, l'asphalte des trottoirs et le pavé des chaussées, la bai-
gner, la griser de sève comme un bois qui verdit.

Mme Haggan fit quelques pas à droite avec l'intention de
suivre, comme toujours, la rue de Provence[1] où elle hélerait un
30 fiacre, mais la douceur de l'air, cette émotion de l'été qui nous
entre dans la gorge en certains jours, la pénétra si brusquement,
que, changeant d'idée, elle prit la rue de la Chaussée-d'Antin, sans
savoir pourquoi, obscurément attirée par le désir de voir des
arbres dans le square de la Trinité. Elle pensait : « Bah ! il m'atten-
35 dra dix minutes de plus. » Cette idée, de nouveau, la réjouissait,
et, tout en marchant à petits pas, dans la foule, elle croyait le
voir s'impatienter, regarder l'heure, ouvrir la fenêtre, écouter à
la porte, s'asseoir quelques instants, se relever, et, n'osant pas
fumer, car elle le lui avait défendu les jours de rendez-vous, jeter
40 sur la boîte aux cigarettes des regards désespérés.

Elle allait doucement, distraite par tout ce qu'elle rencontrait,
par les figures et les boutiques, ralentissant le pas de plus en plus
et si peu désireuse d'arriver qu'elle cherchait aux devantures des
prétextes pour s'arrêter.

45 Au bout de la rue, devant l'église, la verdure du petit square
l'attira si fortement qu'elle traversa la place, entra dans le jardin,
cette cage à enfants, et fit deux fois le tour de l'étroit gazon,
au milieu des nounous enrubannées, épanouies, bariolées, fleu-
ries. Puis elle prit une chaise, s'assit, et, levant les yeux vers le
50 cadran rond comme une lune dans le clocher, elle regarda marcher
l'aiguille.

---

1. La rue de Provence, ainsi que la rue de la Chaussée-d'Antin et le square de
la Trinité évoqués plus loin, se trouvent près de la gare Saint-Lazare, dans le
IXe arrondissement de Paris ; la rue de Miromesnil, où doit se rendre
Mme Haggan, est située plus loin dans le VIIIe arrondissement.

Juste à ce moment la demie sonna, et son cœur tressaillit d'aise en entendant tinter les cloches du carillon. Une demi-heure de gagnée, plus un quart d'heure pour atteindre la rue Miromesnil, et quelques minutes encore de flânerie, – une heure ! une heure volée au rendez-vous ! Elle y resterait quarante minutes à peine, et ce serait fini encore une fois.

Dieu ! comme ça l'ennuyait d'aller là-bas ! Ainsi qu'un patient montant chez le dentiste, elle portait en son cœur le souvenir intolérable de tous les rendez-vous passés, un par semaine en moyenne depuis deux ans, et la pensée qu'un autre allait avoir lieu, tout à l'heure, la crispait d'angoisse de la tête aux pieds. Non pas que ce fût bien douloureux, douloureux comme une visite au dentiste, mais c'était si ennuyeux, si compliqué, si long, si pénible, que tout, tout, même une opération, lui aurait paru préférable. Elle y allait pourtant, très lentement, à tout petits pas, en s'arrêtant, en s'asseyant, en flânant partout, mais elle y allait. Oh ! elle aurait bien voulu manquer encore celui-là, mais elle avait fait poser [1] ce pauvre vicomte, deux fois de suite le mois dernier, et elle n'osait point recommencer si tôt. Pourquoi y retournait-elle ? Ah ! pourquoi ? Parce qu'elle en avait pris l'habitude, et qu'elle n'avait aucune raison à donner à ce malheureux Martelet quand il voudrait connaître ce pourquoi ! Pourquoi avait-elle commencé ? Pourquoi ? Elle ne le savait plus ! L'avait-elle aimé ? C'était possible ! Pas bien fort, mais un peu, voilà si longtemps ! Il était bien, recherché, élégant, galant, et représentait strictement, au premier coup d'œil, l'amant parfait d'une femme du monde. La cour avait duré trois mois – temps normal, lutte honorable, résistance suffisante –, puis elle avait consenti, avec quelle émotion, quelle crispation, quelle peur horrible et charmante, à ce premier rendez-vous, suivi de tant d'autres, dans ce petit entresol de garçon, rue de Miromesnil. Son cœur ? Qu'éprouvait alors son petit cœur de femme séduite, vaincue, conquise, en passant pour la première

1. *Elle avait fait poser* : elle avait fait faux bond à.

fois la porte de cette maison de cauchemar ? Vrai, elle ne le savait
85 plus ! Elle l'avait oublié ! On se souvient d'un fait, d'une date,
d'une chose, mais on ne se souvient guère, deux ans plus tard,
d'une émotion qui s'est envolée très vite, parce qu'elle était très
légère. Oh ! par exemple, elle n'avait pas oublié les autres, ce
chapelet de rendez-vous, ce chemin de croix de l'amour, aux sta-
90 tions si fatigantes, si monotones, si pareilles, que la nausée lui
montait aux lèvres en prévision de ce que ce serait tout à l'heure.

Dieu ! ces fiacres qu'il fallait appeler pour aller là, ils ne ressem-
blaient pas aux autres fiacres, dont on se sert pour les courses
ordinaires ! Certes, les cochers devinaient. Elle le sentait rien qu'à
95 la façon dont ils la regardaient, et ces yeux des cochers de Paris
sont terribles ! Quand on songe qu'à tout moment, devant le tri-
bunal, ils reconnaissent, au bout de plusieurs années, des crimi-
nels qu'ils ont conduits une seule fois, en pleine nuit, d'une rue
quelconque à une gare, et qu'ils ont affaire à presque autant de
100 voyageurs qu'il y a d'heures dans la journée, et que leur mémoire
est assez sûre pour qu'ils affirment : « Voilà bien l'homme que j'ai
chargé rue des Martyrs, et déposé gare de Lyon, à minuit quarante,
le 10 juillet de l'an dernier ! », n'y a-t-il pas de quoi frémir, lorsqu'on risque ce que risque une jeune femme allant à un rendez-
105 vous, en confiant sa réputation au premier venu de ces cochers !
Depuis deux ans, elle en avait employé, pour ce voyage de la rue
Miromesnil, au moins cent à cent vingt, en comptant un par
semaine. C'étaient autant de témoins qui pouvaient déposer
contre elle dans un moment critique.

110 Aussitôt dans le fiacre, elle tirait de sa poche l'autre voile,
épais et noir comme un loup [1], et se l'appliquait sur les yeux. Cela
cachait le visage, oui, mais le reste, la robe, le chapeau, l'ombrelle,
ne pouvait-on pas les remarquer, les avoir vus déjà ? Oh ! dans
cette rue de Miromesnil, quel supplice ! Elle croyait reconnaître
115 tous les passants, tous les domestiques, tout le monde. À peine la

---

1. *Loup* : masque de bal qui dissimule les yeux.

voiture arrêtée, elle sautait et passait en courant devant le concierge toujours debout sur le seuil de sa loge. En voilà un qui devait tout savoir, tout – son adresse, son nom, la profession de son mari –, tout, car ces concierges sont les plus subtils des poli-
120 ciers ! Depuis deux ans elle voulait l'acheter, lui donner, lui jeter un jour ou l'autre un billet de cent francs en passant devant lui. Pas une fois elle n'avait osé faire ce petit mouvement de lui lancer aux pieds ce bout de papier roulé ! Elle avait peur. – De quoi ? – Elle ne savait pas ! – D'être rappelée, s'il ne comprenait point ?
125 D'un scandale ? d'un rassemblement dans l'escalier ? d'une arre- station peut-être ? Pour arriver à la porte du vicomte, il n'y avait guère qu'un demi-étage à monter, et il lui paraissait haut comme la tour Saint-Jacques ! À peine engagée dans le vestibule[1], elle se sentait prise dans une trappe, et le moindre bruit devant ou
130 derrière elle lui donnait une suffocation. Impossible de reculer, avec ce concierge et la rue qui lui fermaient la retraite : et si quel- qu'un descendait juste à ce moment, elle n'osait pas sonner chez Martelet et passait devant la porte, comme si elle allait ailleurs ! Elle montait, montait, montait ! Elle aurait monté quarante
135 étages ! Puis, quand tout semblait redevenu tranquille dans la cage de l'escalier, elle redescendait en courant avec l'angoisse dans l'âme de ne pas reconnaître l'entresol !

Il était là, attendant dans un costume galant en velours doublé de soie, très coquet, mais un peu ridicule, et depuis deux ans, il
140 n'avait rien changé à sa manière de l'accueillir, mais rien, pas un geste !

Dès qu'il avait refermé la porte, il lui disait : « Laissez-moi baiser vos mains, ma chère, chère amie ! » Puis il la suivait dans la chambre où, volets clos et lumières allumées, hiver comme été,
145 par chic sans doute, il s'agenouillait devant elle en la regardant de bas en haut avec un air d'adoration. Le premier jour ça avait été très gentil, très réussi, ce mouvement-là ! Maintenant elle croyait

---

1. **Vestibule** : voir la note 3, p. 27.

voir M. Delaunay [1] jouant pour la cent vingtième fois le cinquième
acte d'une pièce à succès. Il fallait changer ses effets.

150   Et puis après, oh! mon Dieu! après! c'était le plus dur! Non,
il ne changeait pas ses effets, le pauvre garçon! Quel bon garçon,
mais banal!...

    Dieu que c'était difficile de se déshabiller sans femme de
chambre! Pour une fois, passe encore, mais toutes les semaines
155 cela devenait odieux! Non, vrai, un homme ne devrait pas exiger
d'une femme une pareille corvée! Mais s'il était difficile de se
déshabiller, se rhabiller devenait presque impossible et énervant à
crier, exaspérant à gifler le monsieur qui disait, tournant autour
d'elle d'un air gauche: «Voulez-vous que je vous aide?» – L'aider!
160 Ah oui! à quoi? De quoi était-il capable? Il suffisait de lui voir
une épingle entre les doigts pour le savoir.

    C'est à ce moment-là peut-être qu'elle avait commencé à le
prendre en grippe. Quand il disait: «Voulez-vous que je vous
aide?» Elle l'aurait tué. Et puis était-il possible qu'une femme ne
165 finît point par détester un homme qui, depuis deux ans, l'avait
forcée plus de cent vingt fois à se rhabiller sans femme de
chambre?

    Certes il n'y avait pas beaucoup d'hommes aussi maladroits
que lui, aussi peu dégourdis, aussi monotones. Ce n'était pas le
170 petit baron de Grimbal qui aurait demandé de cet air niais:
«Voulez-vous que je vous aide?» Il aurait aidé, lui, si vif, si drôle,
si spirituel. Voilà! c'était un diplomate; il avait couru le monde,
rôdé partout, déshabillé sans doute des femmes vêtues suivant
toutes les modes de la terre, celui-là!...

175   L'horloge de l'église sonna les trois quarts. Elle se dressa,
regarda le cadran, se mit à rire en murmurant: «Oh! doit-il être
agité!», puis elle partit d'une marche plus vive, et sortit du square.

    Elle n'avait point fait dix pas sur la place quand elle se trouva
nez à nez avec un monsieur qui la salua profondément.

---

1. *M. Delaunay* : acteur de théâtre célèbre à l'époque.

180 « Tiens, vous, baron ? » dit-elle, surprise.

Elle venait justement de penser à lui.

« Oui, Madame. »

Et il s'informa de sa santé, puis, après quelques vagues propos, il reprit :

185 « Vous savez que vous êtes la seule – vous permettez que je dise de mes amies, n'est-ce pas ? – qui ne soit point encore venue visiter mes collections japonaises. »

« Mais, mon cher baron, une femme ne peut aller ainsi chez un garçon !

190 – Comment ! comment ! en voilà une erreur quand il s'agit de visiter une collection rare !

– En tout cas, elle ne peut y aller seule.

– Et pourquoi pas ? Mais j'en ai reçu des multitudes de femmes seules, rien que pour ma galerie ! J'en reçois tous les jours. Voulez-
195 vous que je vous les nomme ? – Non – je ne le ferai point. Il faut être discret même pour ce qui n'est pas coupable. En principe, il n'est inconvenant [1] d'entrer chez un homme sérieux, connu, dans une certaine situation, que lorsqu'on y va pour une cause inavouable !

– Au fond, c'est assez juste ce que vous dites là.

200 – Alors vous venez voir ma collection ?

– Quand ?

– Mais tout de suite.

– Impossible, je suis pressée.

– Allons donc ! voilà une demi-heure que vous êtes assise
205 dans le square.

– Vous m'espionniez ?

– Je vous regardais.

– Vrai, je suis pressée.

– Je suis sûr que non. Avouez que vous n'êtes pas très
210 pressée. »

---

1. _Inconvenant_ : contraire aux règles, aux usages.

■ Jean Béraud, *La Proposition* (Paris, musée des Arts décoratifs).

Madame Haggan se mit à rire, et avoua :

« Non… non… pas… très… »

Un fiacre passait à les toucher. Le petit baron cria :
« Cocher ! » et la voiture s'arrêta. Puis, ouvrant la portière :

215 « Montez, Madame.

– Mais, baron, non, c'est impossible, je ne peux pas aujourd'hui.

– Madame, ce que vous faites est imprudent, montez ! On
commence à nous regarder, vous allez former un attroupement ;
on va croire que je vous enlève et nous arrêter tous les deux,
220 montez, je vous en prie ! »

Elle monta, effarée, abasourdie. Alors il s'assit auprès d'elle
en disant au cocher : « rue de Provence ».

Mais soudain elle s'écria :

« Oh ! mon Dieu, j'oubliais une dépêche très pressée, voulez-
225 vous me conduire, d'abord, au premier bureau télégraphique ? »

Le fiacre s'arrêta un peu plus loin, rue de Châteaudun, et elle
dit au baron :

« Pouvez-vous me prendre une carte de cinquante centimes ?
J'ai promis à mon mari d'inviter Martelet à dîner pour demain, et
230 j'ai oublié complètement. »

Quand le baron fut revenu, sa carte bleue à la main, elle
écrivit au crayon :

« *Mon cher ami, je suis très souffrante ; j'ai une névralgie*[1]
atroce qui me tient au lit. Impossible sortir. Venez dîner demain
235 *soir pour que je me fasse pardonner.*

JEANNE. »

Elle mouilla la colle, ferma soigneusement, mit l'adresse :
« Vicomte de Martelet, 240, rue de Miromesnil », puis, rendant la
carte au baron :

240 « Maintenant, voulez-vous avoir la complaisance de jeter ceci
dans la boîte aux télégrammes ? »

---

1. *Névralgie* : violent mal de tête.

■ Camille Pissarro, *La Mi-carême sur les boulevards*, 1897 (Cambridge, États-Unis).

Le Masque

Il y avait bal costumé, à l'Élysée-Montmartre[1], ce soir-là. C'était à l'occasion de la mi-carême[2], et la foule entrait, comme l'eau dans une vanne d'écluse, dans le couloir illuminé qui conduit à la salle de danse. Le formidable appel de l'orchestre,
5 éclatant comme un orage de musique, crevait les murs et le toit, se répandait sur le quartier, allait éveiller, par les rues et jusqu'au fond des maisons voisines, cet irrésistible désir de sauter, d'avoir chaud, de s'amuser qui sommeille au fond de l'animal humain.

Et les habitués du lieu s'en venaient aussi des quatre coins de
10 Paris, gens de toutes les classes, qui aiment le gros plaisir tapageur, un peu crapuleux[3], frotté de débauche. C'étaient des employés, des souteneurs[4], des filles, des filles de tous draps[5], depuis le coton vulgaire jusqu'à la plus fine batiste[6], des filles riches, vieilles et diamantées, et des filles pauvres, de seize ans,
15 pleines d'envie de faire la fête, d'être aux hommes, de dépenser de l'argent. Des habits noirs élégants en quête de chair fraîche,

---

1. *L'Élysée-Montmartre* : bal public situé sur le boulevard Montmartre.
2. *Mi-carême* : jeudi de la troisième semaine du carême, période d'abstinence et de privations entre le mardi gras et Pâques, dans la religion catholique. La mi-carême était l'occasion de réjouissances populaires.
3. *Crapuleux* : proche de la débauche et de la grossièreté.
4. *Souteneurs* : individus qui vivent de l'argent que leur versent des prostituées.
5. *Filles de tous draps* : expression imagée qui signifie de toutes les classes sociales.
6. *Batiste* : fine toile de lin.

de primeurs déflorées[1], mais savoureuses, rôdaient dans cette foule échauffée, cherchaient, semblaient flairer, tandis que les masques paraissaient agités surtout par le désir de s'amuser.

20 Déjà des quadrilles[2] renommés amassaient autour de leurs bondissements une couronne épaisse de public. La haie onduleuse, la pâte remuante de femmes et d'hommes qui encerclait les quatre danseurs se nouait autour comme un serpent, tantôt rapprochée, tantôt écartée suivant les écarts des artistes. Les deux femmes,

25 dont les cuisses semblaient attachées au corps par des ressorts de caoutchouc, faisaient avec leurs jambes des mouvements surprenants. Elles les lançaient en l'air avec tant de vigueur que le membre paraissait s'envoler vers les nuages, puis soudain les écartant comme si elles se fussent ouvertes jusqu'à mi-ventre,

30 glissant l'une en avant, l'autre en arrière, elles touchaient le sol de leur centre par un grand écart rapide, répugnant et drôle.

Leurs cavaliers bondissaient, tricotaient des pieds, s'agitaient, les bras remués et soulevés comme des moignons[3] d'ailes sans plumes, et on devinait, sous leurs masques, leur respiration

35 essoufflée.

Un d'eux, qui avait pris place dans le plus réputé des quadrilles pour remplacer une célébrité absente, le beau «Songe-au-Gosse», et qui s'efforçait de tenir tête à l'infatigable «Arrête-de-Veau» exécutait des cavaliers seuls[4] bizarres qui soulevaient la

40 joie et l'ironie du public.

Il était maigre, vêtu en gommeux[5], avec un joli masque verni sur le visage, un masque à moustache blonde frisée que coiffait une perruque à boucles.

---

1. *Primeurs déflorées* : alliance de mots qui renvoie aux femmes encore jeunes mais non plus innocentes qui fréquentent ce bal.
2. *Quadrilles* : danses exécutées par quatre couples de danseurs.
3. *Moignons* : ce qui reste de membres coupés.
4. *Cavaliers seuls* : figures du quadrille que le danseur exécute seul.
5. *Gommeux* : jeune homme d'une élégance excessive et ridicule.

Il avait l'air d'une figure de cire du musée Grévin, d'une
45 étrange et fantasque caricature du charmant jeune homme des
gravures de mode, et il dansait avec un effort convaincu, mais
maladroit, avec un emportement comique. Il semblait rouillé à
côté des autres, en essayant d'imiter leurs gambades ; il semblait
perclus [1], lourd comme un roquet [2] jouant avec des lévriers. Des
50 bravos moqueurs l'encourageaient. Et lui, ivre d'ardeur, gigotait
avec une telle frénésie que, soudain, emporté par un élan furieux,
il alla donner de la tête dans la muraille du public qui se fendit
devant lui pour le laisser passer, puis se referma autour du corps
inerte, étendu sur le ventre, du danseur inanimé.

55 Des hommes le ramassèrent, l'emportèrent. On criait : « Un
médecin. » Un monsieur se présenta, jeune, très élégant, en habit
noir avec de grosses perles à sa chemise de bal. « Je suis professeur
à la Faculté », dit-il d'une voix modeste. On le laissa passer, et il
rejoignit, dans une petite pièce pleine de cartons comme dans un
60 bureau d'agent d'affaires, le danseur toujours sans connaissance
qu'on allongeait sur des chaises. Le docteur voulut d'abord ôter
le masque et reconnut qu'il était attaché d'une façon compliquée
avec une multitude de menus fils de métal, qui le liaient adroite-
ment aux abords de sa perruque et enfermaient la tête entière
65 dans une ligature [3] solide dont il fallait avoir le secret. Le cou lui-
même était emprisonné dans une fausse peau qui continuait le
menton, et cette peau de gant, peinte comme de la chair, attenait [4]
au col de la chemise.

Il fallut couper tout cela avec de forts ciseaux ; et quand le
70 médecin eut fait, dans ce surprenant assemblage, une entaille
allant de l'épaule à la tempe, il entrouvrit cette carapace et y

---

1. Perclus : qui a peine à se mouvoir.
2. Roquet : petit chien hargneux dont l'allure s'oppose à l'élégance et à la
finesse des lévriers.
3. Ligature : nœud.
4. Attenait : adhérait.

trouva une vieille figure d'homme usée, pâle, maigre et ridée. Le saisissement fut tel parmi ceux qui avaient apporté ce jeune masque frisé, que personne ne rit, que personne ne dit un mot.

75 On regardait, couché sur des chaises de paille, ce triste visage aux yeux fermés, barbouillé de poils blancs, les uns longs, tombant du front sur la face, les autres courts, poussés sur les joues et le menton, et, à côté de cette pauvre tête, ce petit, ce joli masque verni, ce masque frais qui souriait toujours.

80 L'homme revint à lui après être demeuré longtemps sans connaissance, mais il paraissait encore si faible, si malade, que le médecin redoutait quelque complication dangereuse.

« Où demeurez-vous ? » dit-il.

Le vieux danseur parut chercher dans sa mémoire, puis se
85 souvenir, et il dit un nom de rue que personne ne connaissait. Il fallut donc lui demander encore des détails sur le quartier. Il les fournissait avec une peine infinie, avec une lenteur et une indécision qui révélaient le trouble de sa pensée.

Le médecin reprit :
90 « Je vais vous reconduire moi-même. »

Une curiosité l'avait saisi de savoir qui était cet étrange baladin [1], de voir où gîtait [2] ce phénomène sauteur.

Et un fiacre bientôt les emporta tous deux, de l'autre côté des buttes Montmartre.

95 C'était dans une haute maison d'aspect pauvre, où montait un escalier gluant, une de ces maisons toujours inachevées, criblées de fenêtres, debout entre deux terrains vagues, niches crasseuses où habite une foule d'êtres guenilleux [3] et misérables.

Le docteur, cramponné à la rampe, tige de bois tournante où
100 la main restait collée, soutint jusqu'au quatrième étage le vieil homme étourdi qui reprenait des forces.

---

1. *Baladin* : danseur, comédien, saltimbanque.
2. *Où gîtait* : où logeait.
3. *Guenilleux* : vêtus de guenilles, de haillons.

La porte à laquelle ils avaient frappé s'ouvrit et une femme apparut, vieille aussi, propre, avec un bonnet de nuit bien blanc encadrant une tête osseuse, aux traits accentués, une de ces grosses

105 têtes bonnes et rudes des femmes d'ouvriers laborieuses et fidèles. Elle s'écria :

« Mon Dieu ! qu'est-ce qu'il a eu ? »

Lorsque la chose eut été dite en vingt paroles, elle se rassura, et rassura le médecin lui-même, en lui racontant que, souvent déjà,

110 pareille aventure était arrivée.

« Faut le coucher, Monsieur, rien autre chose, il dormira, et d'main n'y paraîtra plus. »

Le docteur reprit :

« Mais c'est à peine s'il peut parler.

115 – Oh ! c'est rien, un peu d'boisson, pas autre chose. Il n'a pas dîné pour être souple, et puis il a bu deux vertes [1], pour se donner de l'agitation. La verte, voyez-vous, ça lui r'fait des jambes, mais ça lui coupe les idées et les paroles. Ça n'est plus de son âge de danser comme il fait. Non, vrai, c'est à désespérer qu'il ait jamais

120 une raison ! »

Le médecin, surpris, insista.

« Mais pourquoi danse-t-il d'une pareille façon, vieux comme il est ? »

Elle haussa les épaules, devenue rouge sous la colère qui

125 l'excitait peu à peu.

« Ah ! oui, pourquoi ! Parlons-en, pour qu'on le croie jeune sous son masque, pour que les femmes le prennent encore pour un godelureau [2] et lui disent des cochonneries dans l'oreille, pour se frotter à leur peau, à toutes leurs sales peaux avec leurs odeurs

130 et leurs poudres et leurs pommades… Ah ! c'est du propre ! Allez,

---

1. *Vertes* : la « verte » est le nom populaire de l'absinthe, alcool très fort.
2. *Godelureau* : jeune homme qui se fait remarquer par des manières trop galantes.

j'en ai eu une vie, moi, Monsieur, depuis quarante ans que cela dure… Mais il faut le coucher d'abord pour qu'il ne prenne pas mal. Ça vous ferait-il rien de m'aider ? Quand il est comme ça, je n'en finis pas, toute seule. »

135 Le vieux était assis sur son lit, l'air ivre, ses longs cheveux blancs tombés sur le visage.

Sa compagne le regardait avec des yeux attendris et furieux. Elle reprit :

« Regardez s'il n'a pas une belle tête pour son âge ; et faut qu'il
140 se déguise en polisson pour qu'on le croie jeune. Si c'est pas une pitié ! Vrai, qu'il a une belle tête, Monsieur ? Attendez, j'vais vous la montrer avant de le coucher. »

Elle alla vers une table qui portait la cuvette, le pot à eau, le savon, le peigne et la brosse. Elle prit la brosse, puis revint vers le
145 lit et relevant toute la chevelure emmêlée du pochard[1], elle lui donna, en quelques instants, une figure de modèle de peintre, à grandes boucles tombant sur le cou. Puis, reculant afin de le contempler :

« Vrai qu'il est bien pour son âge ?

150 – Très bien », affirma le docteur qui commençait à s'amuser beaucoup.

Elle ajouta :

« Et si vous l'aviez connu quand il avait vingt-cinq ans ! Mais faut le mettre au lit ; sans ça ses vertes lui tourneraient dans le
155 ventre. Tenez, Monsieur, voulez-vous tirer sa manche ?… plus haut… comme ça… bon… la culotte maintenant… Attendez, je vais lui ôter ses chaussures… c'est bien. – À présent, tenez-le debout pour que j'ouvre le lit… Voilà… couchons-le… Si vous croyez qu'il se dérangera tout à l'heure pour me faire de la place,
160 vous vous trompez. Faut que je trouve mon coin, moi, n'importe où. Ça ne l'occupe pas. Ah ! jouisseur, va ! »

---

1. Pochard : (familier) ivrogne.

Dès qu'il se sentit étendu dans ses draps, le bonhomme ferma les yeux, les rouvrit, les ferma de nouveau et dans toute sa figure satisfaite apparaissait la résolution énergique de dormir.

165 Le docteur, en l'examinant avec un intérêt sans cesse accru, demanda :

« Alors il va faire le jeune homme dans les bals costumés ?

– Dans tous, Monsieur, et il me revient au matin dans un état qu'on ne se figure pas. Voyez-vous, c'est le regret qui le conduit là 170 et qui lui fait mettre une figure de carton sur la sienne. Oui, le regret de n'être plus ce qu'il a été, et puis de n'avoir plus ses succès ! »

Il dormait, maintenant, et commençait à ronfler. Elle le contemplait d'un air apitoyé, et elle reprit :

« Ah ! il en a eu des succès, cet homme-là ! Plus qu'on ne 175 croirait, Monsieur, plus que les beaux messieurs du monde et que tous les ténors et que tous les généraux.

– Vraiment ? Que faisait-il donc ?

– Oh ! ça va vous étonner d'abord, vu que vous ne l'avez pas connu dans son beau temps. Moi, quand je l'ai rencontré, c'était 180 à un bal aussi, car il les a toujours fréquentés. J'ai été prise en l'apercevant, mais prise comme un poisson avec une ligne. Il était gentil, Monsieur, gentil à faire pleurer quand on le regardait, brun comme un corbeau, et frisé, avec des yeux noirs aussi grands que des fenêtres. Ah ! oui, c'était un joli garçon. Il m'a emmenée ce 185 soir-là, et je ne l'ai plus quitté, jamais, pas un jour, malgré tout ! Oh ! il m'en a fait voir de dures ! »

Le docteur demanda :

« Vous êtes mariés ? »

Elle répondit simplement :

190 « Oui, Monsieur… sans ça il m'aurait lâchée comme les autres. J'ai été sa femme et sa bonne, tout, tout ce qu'il a voulu… et il m'en a fait pleurer… des larmes que je ne lui montrais pas ! Car il me racontait ses aventures, à moi… à moi… Monsieur… sans comprendre quel mal ça me faisait de l'écouter…

195 – Mais quel métier faisait-il, enfin ?

– C'est vrai… j'ai oublié de vous le dire. Il était premier garçon chez Martel, mais un premier comme on n'en avait jamais eu… un artiste à dix francs l'heure, en moyenne…

– Martel ?… qui ça, Martel ?…

²⁰⁰ – Le coiffeur, Monsieur, le grand coiffeur de l'Opéra qui avait toute la clientèle des actrices. Oui, toutes les actrices les plus huppées se faisaient coiffer par Ambroise et lui donnaient des gratifications qui lui ont fait une fortune. Ah ! Monsieur, toutes les femmes sont pareilles, oui, toutes. Quand un homme leur ²⁰⁵ plaît, elles se l'offrent. C'est si facile… et ça fait tant de peine à apprendre. Car il me disait tout… il ne pouvait pas se taire… non, il ne pouvait pas. Ces choses-là donnent tant de plaisir aux hommes ! plus de plaisir encore à dire qu'à faire peut-être.

« Quand je le voyais rentrer le soir, un peu pâlot, l'air content, ²¹⁰ l'œil brillant, je me disais : "Encore une. Je suis sûre qu'il en a levé encore une." Alors j'avais envie de l'interroger, une envie qui me cuisait le cœur, et aussi une autre envie de ne pas savoir, de l'empêcher de parler s'il commençait. Et nous nous regardions.

« Je savais bien qu'il ne se tairait pas, qu'il allait en venir à la ²¹⁵ chose. Je sentais cela à son air, à son air de rire, pour me faire comprendre. "J'en ai une bonne aujourd'hui, Madeleine." Je faisais semblant de ne pas voir, de ne pas deviner ; et je mettais le couvert ; j'apportais la soupe ; je m'asseyais en face de lui.

« Dans ces moment-là, Monsieur, c'est comme si on m'avait ²²⁰ écrasé mon amitié pour lui dans le corps, avec une pierre. Ça fait mal, allez, rudement. Mais il ne saisissait pas, lui, il ne savait pas ; il avait besoin de conter cela à quelqu'un, de se vanter, de montrer combien on l'aimait… et il n'avait que moi à qui le dire… vous comprenez… que moi… Alors… il fallait bien l'écouter et ²²⁵ prendre ça comme du poison.

« Il commençait à manger sa soupe et puis il disait : "Encore une, Madeleine."

« Moi je pensais : "Ça y est. Mon Dieu, quel homme ! Faut-il que je l'aie rencontré."

230 «Alors, il partait : "Encore une, et puis une chouette…" Et c'était une petite du Vaudeville ou bien une petite des Variétés [1], et puis aussi des grandes, les plus connues de ces dames de théâtre. Il me disait leurs noms, leurs mobiliers, et tout, tout, oui tout, Monsieur… Des détails à m'arracher le cœur. Et il revenait
235 là-dessus, il recommençait son histoire, d'un bout à l'autre, si content que je faisais semblant de rire pour qu'il ne se fâche pas contre moi.

«Ce n'était peut-être pas vrai tout ça ! Il aimait tant se glorifier qu'il était bien capable d'inventer des choses pareilles ! C'était
240 peut-être vrai aussi ! Ces soirs-là, il faisait semblant d'être fatigué, de vouloir se coucher après souper. On soupait à onze heures, Monsieur, car il ne rentrait jamais plus tôt, à cause des coiffures de soirée.

«Quand il avait fini son aventure, il fumait des cigarettes en se
245 promenant dans la chambre, et il était si joli garçon, avec sa moustache et ses cheveux frisés, que je pensais : "C'est vrai, tout de même, ce qu'il raconte. Puisque j'en suis folle, moi, de cet homme-là, pourquoi donc les autres n'en seraient-elles pas aussi toquées ?" Ah ! j'en ai eu des envies de pleurer, et de crier, et de
250 me sauver, et de me jeter par la fenêtre, tout en desservant la table pendant qu'il fumait toujours. Il bâillait, en ouvrant la bouche, pour me montrer combien il était las, et il disait deux ou trois fois avant de se mettre au lit : "Dieu, que je dormirai bien cette nuit !"

«Je ne lui en veux pas, car il ne savait point combien il me
255 peinait. Non, il ne pouvait pas le savoir ! Il aimait se vanter des femmes comme un paon qui fait la roue. Il en était arrivé à croire que toutes le regardaient et le voulaient.

«Ça a été dur quand il a vieilli.

«Oh ! Monsieur, quand j'ai vu son premier cheveu blanc, j'ai
260 eu un saisissement à perdre le souffle, et puis une joie – une vilaine joie – mais si grande, si grande !!! Je me suis dit : "C'est la fin…

---

1. *Vaudeville* et *Variétés* : théâtres à la mode à la fin du XIXᵉ siècle.

c'est la fin…" Il m'a semblé qu'on allait me sortir de prison. Je l'aurais donc pour moi, toute seule, quand les autres n'en voudraient plus.

265   « C'était un matin, dans notre lit. – Il dormait encore, et je me penchais sur lui pour le réveiller en l'embrassant lorsque j'aperçus dans ses boucles, sur la tempe, un petit fil qui brillait comme de l'argent. Quelle surprise ! Je n'aurais pas cru cela possible ! D'abord j'ai pensé à l'arracher pour qu'il ne le vît pas, lui ! mais,
270   en regardant bien j'en aperçus un autre plus haut. Des cheveux blancs ! il allait avoir des cheveux blancs ! J'en avais le cœur battant et une moiteur à la peau ; pourtant, j'étais bien contente, au fond !

« C'est laid de penser ainsi, mais j'ai fait mon ménage de bon
275   cœur ce matin-là, sans le réveiller encore ; et quand il eut ouvert les yeux, tout seul, je lui dis :

"Sais-tu ce que j'ai découvert pendant que tu dormais ?

– Non.

– J'ai découvert que tu as des cheveux blancs."

280   « Il eut une secousse de dépit [1] qui le fit asseoir comme si je l'avais chatouillé et il me dit d'un air méchant :

"C'est pas vrai !

– Oui, sur la tempe gauche. Il y en a quatre."

« Il sauta du lit pour courir à la glace.

285   « Il ne les trouvait pas. Alors je lui montrai le premier, le plus bas, le petit frisé, et je lui disais :

"Ça n'est pas étonnant avec la vie que tu mènes. D'ici à deux ans tu seras fini."

« Eh bien, Monsieur, j'avais dit vrai, deux ans après on ne
290   l'aurait pas reconnu. Comme ça change vite un homme ! Il était encore beau garçon, mais il perdait sa fraîcheur, et les femmes ne le recherchaient plus. Ah ! j'en ai mené une dure d'existence moi, en ce temps-là ! Il m'en a fait voir de cruelles ! Rien ne lui plaisait,

---

1. Dépit : voir la note 1, p. 23.

rien de rien. Il a quitté son métier pour la chapellerie [1], dans quoi
295 il a mangé de l'argent. Et puis il a voulu être acteur sans y réussir,
et puis il s'est mis à fréquenter les bals publics. Enfin, il a eu le
bon sens de garder un peu de bien, dont nous vivons. Ça suffit,
mais ça n'est pas lourd ! Dire qu'il a eu presque une fortune à un
moment.

300 « Maintenant vous voyez ce qu'il fait. C'est comme une frénésie
qui le tient. Faut qu'il soit jeune, faut qu'il danse avec des femmes
qui sentent l'odeur et la pommade. Pauvre vieux chéri, va ! »

Elle regardait, émue, prête à pleurer, son vieux mari qui ron-
flait. Puis, s'approchant de lui à pas légers, elle mit un baiser dans
305 ses cheveux. Le médecin s'était levé, et se préparait à s'en aller, ne
trouvant rien à dire devant ce couple bizarre.

Alors, comme il partait, elle demanda :

« Voulez-vous tout de même me donner votre adresse ? S'il
était plus malade, j'irais vous chercher. »

---

1. Chapellerie : industrie et commerce du chapeau.

■ *Le Plaisir*, réalisé par Max Ophuls (1952).

Le cinéaste s'est inspiré pour son film de trois nouvelles de Maupassant, dont *Le Masque*, qui évoque le plaisir et la jeunesse.

Guy de Maupassant

Fondée en 1878 par le journaliste Félicien Champsaur et le dessinateur André Gill, la revue satirique *Les Hommes d'aujourd'hui* consacra en 1885 un numéro à Guy de Maupassant, écrivain à succès depuis la parution en 1880 de sa nouvelle *Boule de Suif*.

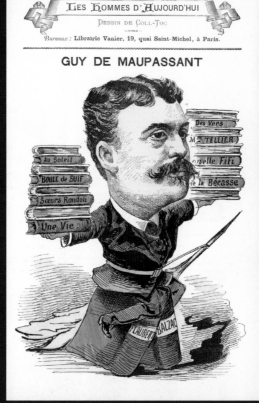

▶ Couverture du numéro des *Hommes d'aujourd'hui* consacré à Guy de Maupassant en 1885. Illustration de Coll-Toc (pseudonyme réunissant les caricaturistes Jean-Victor Collignon, autre nom d'André Gill, et Tocqueville).

Questions

1. Quel attribut de l'écrivain est représenté dans le dessin ? Quelle qualité met-il en valeur ? Comment est suggérée la fécondité de son talent ?
2. Sur quoi les dessinateurs ont-ils symboliquement assis l'écrivain ? Quel est le lien entre Maupassant et les deux auteurs mentionnés par l'illustration ?
3. Montrez que les dessinateurs utilisent les procédés de la caricature. Selon vous, est-ce un portrait critique ou élogieux ?

Les nouvelles et la presse

Au XIXᵉ siècle, le principal instrument de promotion de la littérature est la presse. Les auteurs prépublient leurs œuvres sous forme de feuilletons dans les journaux de l'époque. Maupassant y fait paraître ses romans et la plupart de ses nouvelles; il y trouve le plus clair de ses revenus en même temps que l'essentiel de son lectorat.

La reproduction de deux unes de journaux de l'époque témoigne de cette publicité assurée par la presse aux œuvres littéraires : dans son numéro du 10 août 1890 *La Vie populaire* consacre sur sa couverture une pleine page au *Masque* (déjà paru le 10 mai 1889 dans *L'Écho de Paris*) et dans son numéro du 8 octobre 1893 *Gil Blas* fait de même avec *La Parure* (déjà publiée le 17 février 1884 dans *Le Gaulois*).

▶ Une de *La Vie populaire*,
10 août 1890.

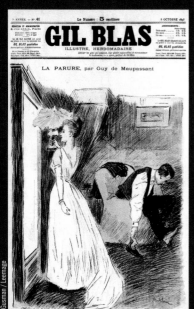

◀ Une de *Gil Blas*,
8 octobre 1893.

Caractérisé par une intrigue resserrée, un nombre réduit de personnages et un dénouement frappant, le genre de la nouvelle semble particulièrement adapté à une mise en images. Ainsi, les récits brefs de Maupassant ont fait l'objet de nombreuses reprises, aussi bien en bandes dessinées qu'en téléfilms. Ces deux formats assurent un public supplémentaire aux histoires de l'auteur, permettant de les faire connaître de tous, y compris de ceux qui sont les moins sensibles au texte littéraire.

▶ *La Parure*, adaptée par Leigh Sauerwein et illustrée par Jean-Sébastien Bordas, *Je Bouquine*, mai 2007, n° 279.

CHEZ JEANNE FORESTIER

◀ Muriel Sevestre, *La Parure*, in *Guy de Maupassant, Les Contes en bandes dessinées*, dir. Olivier Cassiau et Maryève Tassot, Petit à Petit, 2007.

Chaque téléfilm de trente ou soixante minutes offre une adaptation d'une nouvelle de l'écrivain. C'est le grand cinéaste français Claude Chabrol (1930-2010) qui, en 2007, porte à l'écran *La Parure* : Cécile de France y joue Mme Loisel face à Thomas Chabrol qui incarne son mari. Si le téléfilm reprend fidèlement la structure de la nouvelle, certains choix du réalisateur infléchissent le sens du récit.

◄ Dans son adaptation, Chabrol présente l'héroïne comme une jeune coquette capricieuse et insatisfaite de la vie modeste que lui offre son employé de mari.

▼ Chabrol met aussi en valeur la rivalité qui oppose l'héroïne à celle qui va lui prêter sa parure. La jalousie de Mathilde n'a d'égale que la satisfaction de Mme Forestier (Charley Fouquey) à étaler ses richesses et sa réussite devant son amie.

an Pimental / France TV

Paris à l'époque de Maupassant : la métamorphose de la ville

Les cinq récits de ce recueil esquissent une topographie des grands lieux de la vie parisienne au XIXᵉ siècle et témoignent de la métamorphose de la capitale sous le règne de Napoléon III. Ce dernier confia à Haussmann (préfet de la Seine entre 1853 et 1870) la mission d'assainir, d'aérer et de moderniser Paris. La construction de plusieurs gares, la percée de larges boulevards, l'élargissement des places visaient à faciliter la circulation mais aussi à améliorer les conditions de vie et à développer l'activité économique.

© Charles Marville / Musée Carnavalet / Roger-Viollet

▲ Photographie du percement de l'avenue de l'Opéra à Paris par Charles Marville, décembre 1876.
Établi « photographe de la ville de Paris » en 1862, Charles Marville (1813-1879) est un témoin privilégié des métamorphoses de la capitale à cette époque. Il immortalise les chantiers spectaculaires qui la transformeront. Il photographie notamment à plusieurs reprises les étapes de la construction de l'Opéra Garnier commencée en 1861 et le percement de l'avenue de l'Opéra. Cette prise de vue témoigne de l'ampleur des travaux réalisés, qui s'accompagnent aussi d'une phase de destruction massive – source de violentes critiques.

▲ Gustave Caillebotte, *Rue de Paris ; temps de pluie*, 1877.
C'est sa fascination pour le visage nouveau de la capitale que Gustave Caillebotte
(1848-1894) traduit dans ses œuvres. Ce tableau représente la croisée des rues Clapeyron,
de Moscou et de Turin (situées dans le VIIIe arrondissement), carrefour caractéristique
de l'aménagement haussmannien.

Questions

1. Ce tableau fut remarqué à l'Exposition de 1877 par sa taille exceptionnelle (212 x 276 cm) :
   selon vous, quel effet ces dimensions créent-elles chez le spectateur ?
2. Quelles caractéristiques du Paris haussmannien Caillebotte met-il en valeur dans son tableau ?
3. La vision de la ville est-elle néanmoins seulement positive ? Soyez attentif aux couleurs
   qui dominent et aux attitudes des personnages.

Images de la Parisienne

Comme Maupassant, les peintres de l'époque s'emploient à rendre compte de leur temps en restituant sa diversité sociale et sa complexité. Ce souci s'exprime dans les quatre portraits de femmes reproduits ci-après, qui permettent de se représenter les héroïnes de l'écrivain. Le regard des peintres se porte aussi bien sur les élégantes issues de la bourgeoisie que sur les femmes du peuple qui s'épuisent au travail. À travers les vêtements (reflets de la mode du temps et indicateurs d'une classe sociale) et les occupations de leurs modèles, les artistes nous renseignent sur le quotidien de leur époque.

© RMN-Grand Palais (musée d'Orsay) / Hervé Lewandowski

▲ Edgar Degas, *Madame Jeantaud au miroir*, v. 1875.
C'est vers 1875 qu'Edgar Degas (1834-1917) réalise le portrait de Berthe-Marie Bachoux, épouse d'un de ses amis, Jean-Baptiste Jeantaud. Le réalisme du portrait est caractéristique de l'époque mais la composition du tableau est tout à fait originale. En jouant sur la complémentarité du modèle et de son reflet dans le miroir, le peintre reproduit dans ses moindres détails la tenue de cette femme et souligne l'importance que la bourgeoisie de l'époque accorde à l'apparence.

© RMN-Grand Palais / Agence Bulloz

◄ Charles-Alexandre Giron, *La Femme aux gants*, dite *la Parisienne*, 1883.
Charles-Alexandre Giron (1850-1914) a exposé ce portrait mondain au salon annuel de la Société nationale des Beaux-Arts en 1883. Prête à sortir, cette Parisienne porte une robe d'après-midi ; l'élégance de son vêtement, la distinction de sa pose ainsi que le décor luxueux dans lequel elle se tient laissent deviner son aisance financière.

▶ Honoré Daumier, *La Blanchisseuse*,
v. 1863.
Attentif au monde des plus humbles,
Honoré Daumier (1808-1879) a souvent
évoqué le peuple laborieux de la grande
ville sous le Second Empire, comme en
témoigne sa blanchisseuse, qui ne fait
l'objet d'aucune idéalisation.

Questions

1. Que nous dit le peintre du travail
   de cette femme ? Quels détails
   permettent de répondre ?
2. De quoi la présence de la fillette au côté
   de sa mère est-elle symbolique ?
3. Daumier a-t-il voulu représenter
   une femme particulière ou toutes
   les ouvrières ? Quels procédés utilise-t-il
   pour atteindre son objectif ?

◀ Édouard Manet, *La Serveuse de bocks*,
1879.
Dans *La Serveuse de bocks*, Manet
(1832-1883) nous plonge dans
l'ambiance d'un cabaret où les hommes
se détendent, boivent et fument...
Sa toile représente aussi trois femmes :
une cliente, à gauche, derrière le chapeau
haut de forme, et deux femmes
au travail. L'une, dont on entrevoit
le bras, danse sur scène pour divertir
le client et l'autre sert la bière,
boisson populaire en plein essor
dans la seconde moitié du XIXe siècle.

Les Tombales

Les cinq amis achevaient de dîner, cinq hommes du monde mûrs, riches, trois mariés, deux restés garçons [1]. Ils se réunissaient ainsi tous les mois, en souvenir de leur jeunesse, et, après avoir dîné, ils causaient jusqu'à deux heures du matin. Restés amis
5 intimes, et se plaisant ensemble, ils trouvaient peut-être là leurs meilleurs soirs dans la vie. On bavardait sur tout, sur tout ce qui occupe et amuse les Parisiens ; c'était entre eux, comme dans la plupart des salons d'ailleurs, une espèce de recommencement parlé de la lecture des journaux du matin.
10 Un des plus gais était Joseph de Bardon, célibataire et vivant la vie parisienne de la façon la plus complète et la plus fantaisiste. Ce n'était point un débauché ni un dépravé [2], mais un curieux, un joyeux encore jeune ; car il avait à peine quarante ans. Homme du monde dans le sens le plus large et le plus bienveillant que puisse
15 mériter ce mot, doué de beaucoup d'esprit sans grande profondeur, d'un savoir varié sans érudition vraie, d'une compréhension agile sans pénétration sérieuse, il tirait de ses observations, de ses aventures, de tout ce qu'il voyait, rencontrait et trouvait, des anecdotes de roman comique et philosophique en même temps, et des
20 remarques humoristiques qui lui faisaient par la ville une grande réputation d'intelligence.

C'était l'orateur du dîner. Il avait la sienne, chaque fois, son

---

1. *Garçons* : célibataires.
2. *Dépravé* : qui n'a plus de sens moral ; synonyme de corrompu, perverti.

histoire, sur laquelle on comptait. Il se mit à la dire sans qu'on
l'en eût prié.

25   Fumant, les coudes sur la table, un verre de fine champagne[1]
à moitié plein devant son assiette, engourdi dans une atmosphère
de tabac aromatisée par le café chaud, il semblait chez lui tout à
fait, comme certains êtres sont chez eux absolument, en certains
lieux et en certains moments, comme une dévote dans une cha-
30 pelle, comme un poisson rouge dans son bocal.

Il dit entre deux bouffées de fumée :

« Il m'est arrivé une singulière aventure il y a quelque temps. »

Toutes les bouches demandèrent presque ensemble :

« Racontez. »

35   Il reprit :

« Volontiers. Vous savez que je me promène beaucoup dans
Paris, comme les bibelotiers[2] qui fouillent les vitrines. Moi je
guette les spectacles, les gens, tout ce qui passe, et tout ce qui se
passe.

40   « Or, vers la mi-septembre, il faisait très beau temps à ce
moment-là, je sortis de chez moi, un après-midi, sans savoir où
j'irais. On a toujours un vague désir de faire une visite à une jolie
femme quelconque. On choisit dans sa galerie, on les compare
dans sa pensée, on pèse l'intérêt qu'elles vous inspirent, le charme
45 qu'elles vous imposent et on se décide enfin suivant l'attraction
du jour. Mais quand le soleil est très beau et l'air tiède, il vous
enlève souvent toute envie de visites.

« Le soleil était beau, et l'air tiède ; j'allumai un cigare et je
m'en allai tout bêtement sur le boulevard extérieur. Puis comme
50 je flânais, l'idée me vint de pousser jusqu'au cimetière Montmartre
et d'y entrer.

---

1. *Fine champagne* : liqueur de cognac.
2. *Bibelotiers* : personnes à la recherche d'objets insolites sans valeur.

«J'aime beaucoup les cimetières, moi, ça me repose et me mélancolise[1] : j'en ai besoin. Et puis, il y a aussi de bons amis là-dedans, de ceux qu'on ne va plus voir ; et j'y vais encore, moi, de temps en temps.

«Justement dans ce cimetière Montmartre, j'ai une histoire de cœur, une maîtresse qui m'avait beaucoup pincé, très ému, une charmante petite femme dont le souvenir, en même temps qu'il me peine énormément, me donne des regrets… des regrets de toute nature… et je vais rêver sur sa tombe… C'est fini pour elle.

«Et puis, j'aime aussi les cimetières, parce que ce sont des villes monstrueuses, prodigieusement habitées. Songez donc à ce qu'il y a de morts dans ce petit espace, à toutes les générations de Parisiens qui sont logés là, pour toujours, troglodytes[2] définitifs, enfermés dans leurs petits caveaux, dans leurs petits trous couverts d'une pierre ou marqués d'une croix, tandis que les vivants occupent tant de place et font tant de bruit, ces imbéciles.

«Puis encore, dans les cimetières, il y a des monuments presque aussi intéressants que dans les musées. Le tombeau de Cavaignac[3] m'a fait songer, je l'avoue, sans le comparer, à ce chef-d'œuvre de Jean Goujon : le corps de Louis de Brézé[4], couché dans la chapelle souterraine de la cathédrale de Rouen ; tout l'art dit moderne et réaliste est venu de là, Messieurs. Ce mort, Louis de Brézé, est plus vrai, plus terrible, plus fait de chair inanimée, convulsée encore par l'agonie, que tous les cadavres tourmentés qu'on tortionne[5] aujourd'hui sur les tombes.

«Mais au cimetière Montmartre on peut encore admirer le monument de Baudin, qui a de la grandeur ; celui de Gautier ; celui de Murger, où j'ai vu l'autre jour une seule pauvre couronne

---

1. *Me mélancolise* : me rend mélancolique.
2. *Troglodytes* : qui habitent des grottes ou des cavernes.
3. *Cavaignac* : homme politique français du milieu du XIXᵉ siècle.
4. Jean Goujon, sculpteur du XVIᵉ siècle, réalisa la pierre tombale de Louis de Brézé, homme politique du même siècle.
5. *Qu'on tortionne* : qu'on représente dans des postures tordues.

80 d'immortelles jaunes, apportée par qui ? par la dernière grisette[1],
très vieille, et concierge aux environs, peut-être ? C'est une jolie
statuette de Millet, mais que détruisent l'abandon et la saleté.
Chante la jeunesse, ô Murger[2] !

« Me voici donc entrant dans le cimetière Montmartre, et tout
85 à coup imprégné de tristesse, d'une tristesse qui ne faisait pas
trop de mal, d'ailleurs, une de ces tristesses qui vous font penser,
quand on se porte bien : "Ça n'est pas drôle, cet endroit-là, mais
le moment n'en est pas encore venu pour moi…"

« L'impression de l'automne, de cette humidité tiède qui sent la
90 mort des feuilles et le soleil affaibli, fatigué, anémique[3], aggravait
en la poétisant la sensation de solitude et de fin définitive flottant
sur ce lieu, qui sent la mort des hommes.

« Je m'en allais à petits pas dans ces rues de tombes, où les
voisins ne voisinent point, ne couchent plus ensemble et ne lisent
95 pas les journaux. Et je me mis, moi, à lire les épitaphes[4]. Ça, par
exemple, c'est la chose la plus amusante du monde. Jamais
Labiche, jamais Meilhac ne m'ont fait rire comme le comique de
la prose tombale. Ah ! quels livres supérieurs à ceux de Paul
de Kock[5] pour ouvrir la rate[6] que ces plaques de marbre et ces
100 croix où les parents des morts ont épanché leurs regrets, leurs
vœux pour le bonheur du disparu dans l'autre monde, et leur
espoir de le rejoindre – blagueurs !

« Mais j'adore surtout, dans ce cimetière, la partie abandonnée,
solitaire, pleine de grands ifs et de cyprès, vieux quartier des
105 anciens morts qui redeviendra bientôt un quartier neuf, dont on

---

1. *Grisette* : ouvrière jeune et coquette.
2. Les personnages cités dans ce paragraphe sont des contemporains de
Maupassant : Baudin était médecin et homme politique, Gautier et Murger
étaient écrivains et poètes, Millet était peintre et sculpteur.
3. *Anémique* : dépourvu de force.
4. *Épitaphes* : inscriptions sur les tombes.
5. *Labiche*, *Meilhac* et *Paul de Kock* : auteurs de comédies du XIXᵉ siècle.
6. *Ouvrir la rate* : expression familière qui signifie « faire rire ».

abattra les arbres verts, nourris de cadavres humains, pour aligner les récents trépassés sous de petites galettes de marbre.

« Quand j'eus erré là le temps de me rafraîchir l'esprit, je compris que j'allais m'ennuyer et qu'il fallait porter au dernier lit de
110 ma petite amie l'hommage fidèle de mon souvenir. J'avais le cœur un peu serré en arrivant près de sa tombe. Pauvre chère, elle était si gentille, et si amoureuse, et si blanche, et si fraîche… et maintenant… si on ouvrait ça…

« Penché sur la grille de fer, je lui dis tout bas ma peine qu'elle
115 n'entendit point sans doute, et j'allais partir quand je vis une femme en noir, en grand deuil, qui s'agenouillait sur le tombeau voisin. Son voile de crêpe relevé laissait apercevoir une jolie tête blonde, dont les cheveux en bandeaux[1] semblaient éclairés par une lumière d'aurore sous la nuit de sa coiffure. Je restai.
120 « Certes, elle devait souffrir d'une profonde douleur. Elle avait enfoui son regard dans ses mains, et rigide, en une méditation de statue, partie en ses regrets, égrenant dans l'ombre des yeux cachés et fermés le chapelet torturant des souvenirs, elle semblait elle-même être une morte qui penserait à un mort. Puis tout à
125 coup je devinai qu'elle allait pleurer, je le devinai à un petit mouvement du dos pareil à un frisson de vent dans un saule. Elle pleura doucement d'abord, puis plus fort, avec des mouvements rapides du cou et des épaules. Soudain elle découvrit ses yeux. Ils étaient pleins de larmes et charmants, des yeux de folle qu'elle
130 promena autour d'elle, en une sorte de réveil de cauchemar. Elle me vit la regarder, parut honteuse et se cacha encore toute la figure dans ses mains. Alors ses sanglots devinrent convulsifs, et sa tête lentement se pencha vers le marbre. Elle y posa son front, et son voile se répandant autour d'elle couvrit les angles blancs
135 de la sépulture aimée, comme un deuil nouveau. Je l'entendis

---

1. *Cheveux en bandeaux* : cheveux coiffés de manière à serrer le front et les tempes.

gémir, puis elle s'affaissa, sa joue sur la dalle, et demeura immobile, sans connaissance.

«Je me précipitai vers elle, je lui frappai dans les mains, je soufflai sur ses paupières, tout en lisant l'épitaphe très simple : "Ici
140 repose Louis-Théodore Carrel, capitaine d'infanterie de marine, tué par l'ennemi, au Tonkin[1]. Priez pour lui."

«Cette mort remontait à quelques mois. Je fus attendri jusqu'aux larmes, et je redoublai mes soins. Ils réussirent ; elle revint à elle. J'avais l'air très ému – je ne suis pas trop mal, je n'ai pas
145 quarante ans. Je compris à son premier regard qu'elle serait polie et reconnaissante. Elle le fut, avec d'autres larmes, et son histoire contée, sortie par fragments de sa poitrine haletante, la mort de l'officier tombé au Tonkin, au bout d'un an de mariage, après l'avoir épousée par amour, car, orpheline de père et de mère, elle
150 avait tout juste la dot[2] réglementaire.

«Je la consolai, je la réconfortai, je la soulevai, je la relevai. Puis je lui dis :

"Ne restez pas ici. Venez."

«Elle murmura :

155 "Je suis incapable de marcher.

– Je vais vous soutenir.

– Merci, monsieur, vous êtes bon. Vous veniez également ici pleurer un mort ?

– Oui, madame.

160 – Une morte ?

– Oui, madame.

– Votre femme ?

– Une amie.

– On peut aimer une amie autant que sa femme, la passion
165 n'a pas de loi.

– Oui, madame."

---

1. *Tonkin* : région du nord du Viêt-nam colonisée par les Français en 1885.
2. *Dot* : voir la note 1, p. 21.

«Et nous voilà partis ensemble, elle appuyée sur moi, moi la portant presque par les chemins du cimetière. Quand nous en fûmes sortis, elle murmura, défaillante :

170 "Je crois que je vais me trouver mal.

– Voulez-vous entrer quelque part, prendre quelque chose ?

– Oui, monsieur."

«J'aperçus un restaurant, un de ces restaurants où les amis des morts vont fêter la corvée finie. Nous y entrâmes. Et je lui fis boire

175 une tasse de thé bien chaud qui parut la ranimer. Un vague sourire lui vint aux lèvres. Et elle me parla d'elle. C'était si triste, si triste d'être toute seule dans la vie, toute seule chez soi, nuit et jour, de n'avoir plus personne à qui donner de l'affection, de la confiance, de l'intimité.

180 «Cela avait l'air sincère. C'était gentil dans sa bouche. Je m'attendrissais. Elle était fort jeune, vingt ans peut-être. Je lui fis des compliments qu'elle accepta fort bien. Puis, comme l'heure passait, je lui proposai de la reconduire chez elle avec une voiture. Elle accepta ; et, dans le fiacre [1], nous restâmes tellement l'un contre

185 l'autre, épaule contre épaule, que nos chaleurs se mêlaient à travers les vêtements, ce qui est bien la chose la plus troublante du monde.

«Quand la voiture fut arrêtée à sa maison, elle murmura :

"Je me sens incapable de monter seule mon escalier, car je

190 demeure au quatrième. Vous avez été si bon, voulez-vous encore me donner le bras jusqu'à mon logis ?"

«Je m'empressai d'accepter. Elle monta lentement, en soufflant beaucoup. Puis, devant sa porte, elle ajouta :

"Entrez donc quelques instants pour que je puisse vous remer-

195 cier."

«Et j'entrai, parbleu.

«C'était modeste, même un peu pauvre, mais simple et bien arrangé, chez elle.

---

1. *Fiacre* : voir la note 3, p. 26.

« Nous nous assîmes côte à côte sur un petit canapé, et elle me
200 parla de nouveau de sa solitude.

« Elle sonna sa bonne, afin de m'offrir quelque chose à boire.
La bonne ne vint pas. J'en fus ravi en supposant que cette bonne-
là ne devait être que du matin : ce qu'on appelle une femme de
ménage.

205 « Elle avait ôté son chapeau. Elle était vraiment gentille avec
ses yeux clairs fixés sur moi, si bien fixés, si clairs que j'eus une
tentation terrible et j'y cédai. Je la saisis dans mes bras, et sur ses
paupières qui se fermèrent soudain, je mis des baisers… des baisers… des baisers… tant et plus.

210 « Elle se débattait en me repoussant et répétait :

"Finissez… finissez… finissez donc."

« Quel sens donnait-elle à ce mot ? En des cas pareils, "finir"
peut en avoir au moins deux. Pour la faire taire je passai des yeux
à la bouche, et je donnai au mot "finir" la conclusion que je
215 préférais. Elle ne résista pas trop, et quand nous nous regardâmes
de nouveau, après cet outrage à la mémoire du capitaine tué au
Tonkin, elle avait un air alangui, attendri, résigné, qui dissipa mes
inquiétudes.

« Alors je fus galant, empressé et reconnaissant. Et après une
220 nouvelle causerie d'une heure environ, je lui demandai :

"Où dînez-vous ?

– Dans un petit restaurant des environs.

– Toute seule ?

– Mais oui.

225 – Voulez-vous dîner avec moi ?

– Où ça ?

– Dans un bon restaurant du boulevard."

« Elle hésita un peu. J'insistai : elle céda, en se donnant à elle-
même cet argument : "Je m'ennuie tant… tant" ; puis elle ajouta :
230 "Il faut que je passe une robe un peu moins sombre."

« Et elle entra dans sa chambre à coucher.

« Quand elle en sortit, elle était en demi-deuil, charmante, fine et mince, dans une toilette grise et fort simple. Elle avait évidemment tenue de cimetière et tenue de ville.

235 « Le dîner fut très cordial. Elle but du champagne, s'alluma, s'anima et je rentrai chez elle avec elle.

« Cette liaison nouée sur les tombes dura trois semaines environ. Mais on se fatigue de tout, et principalement des femmes. Je la quittai sous prétexte d'un voyage indispensable. J'eus un départ
240 très généreux, dont elle me remercia beaucoup. Et elle me fit promettre, elle me fit jurer de revenir après mon retour, car elle semblait vraiment un peu attachée à moi.

« Je courus à d'autres tendresses, et un mois environ se passa sans que la pensée de revoir cette petite amoureuse funéraire fût
245 assez forte pour que j'y cédasse. Cependant je ne l'oubliais point… Son souvenir me hantait comme un mystère, comme un problème de psychologie, comme une de ces questions inexplicables dont la solution nous harcèle.

« Je ne sais pourquoi, un jour, je m'imaginai que je la retrou-
250 verais au cimetière Montmartre, et j'y allai.

« Je m'y promenai longtemps sans rencontrer d'autres personnes que les visiteurs ordinaires de ce lieu, ceux qui n'ont pas encore rompu toutes relations avec leurs morts. La tombe du capitaine tué au Tonkin n'avait pas de pleureuse sur son marbre,
255 ni de fleurs, ni de couronnes.

« Mais comme je m'égarais dans un autre quartier de cette grande ville de trépassés, j'aperçus tout à coup, au bout d'une étroite avenue de croix, venant vers moi, un couple en grand deuil, l'homme et la femme. Ô stupeur ! quand ils s'approchèrent,
260 je la reconnus. C'était elle !

« Elle me vit, rougit, et comme je la frôlais en la croisant, elle me fit un tout petit signe, un tout petit coup d'œil qui signifiaient : "Ne me reconnaissez pas", mais qui semblaient dire aussi : "Revenez me voir, mon chéri."

265 « L'homme était bien, distingué, chic, officier de la Légion d'honneur, âgé d'environ cinquante ans.

« Et il la soutenait, comme je l'avais soutenue moi-même en quittant le cimetière.

« Je m'en allai stupéfait, me demandant ce que je venais de
270 voir, à quelle race d'êtres appartenait cette sépulcrale[1] chasse-resse. Était-ce une simple fille, une prostituée inspirée qui allait cueillir sur les tombes les hommes tristes, hantés par une femme, épouse ou maîtresse, et troublés encore du souvenir des caresses disparues ? Était-elle unique ? Sont-elles plusieurs ? Est-ce une
275 profession ? Fait-on le cimetière comme on fait le trottoir ? Les Tombales ! Ou bien avait-elle eu seule cette idée admirable, d'une philosophie profonde, d'exploiter les regrets d'amour qu'on ranime en ces lieux funèbres ?

« Et j'aurais bien voulu savoir de qui elle était veuve, ce jour-là ? »

---

1. Sépulcrale : adjectif qui vient de sépulcre (synonyme de tombeau).

DOSSIER

Êtes-vous un lecteur attentif?

Questionnaire de lecture

Après avoir lu la présentation ainsi que l'ensemble des nouvelles, répondez aux questions suivantes.

1. Sous quels régimes politiques Maupassant a-t-il vécu ?
   a. la Restauration
   b. le Second Empire
   c. la IIIᵉ République

2. Laquelle de ces œuvres n'est pas de Guy de Maupassant ?
   a. *Les Misérables*
   b. *Le Horla*
   c. *Bel-Ami*

3. Qui fut le maître de Maupassant en littérature ?
   a. Victor Hugo
   b. Honoré de Balzac
   c. Gustave Flaubert

4. Combien de nouvelles Maupassant a-t-il écrites ?
   a. deux cents
   b. trois cents
   c. cinq cents

5. En littérature, le genre de la nouvelle désigne :
   a. un article
   b. un récit bref qui développe un sujet restreint et dont la fin est frappante
   c. un récit nouveau

6. À quel mouvement littéraire l'œuvre de Maupassant s'apparente-t-elle ?
   a. le romantisme
   b. le réalisme
   c. le symbolisme

7. Dans quelle ville les intrigues des nouvelles du recueil se déroulent-elles ?
   a. Bordeaux

b. Londres

c. Paris

8. Quel est le point commun entre Maupassant et M. Loisel dans « La Parure » ?

    a. Ils sont de grands séducteurs

    b. Ils deviennent fous

    c. Ils sont employés au ministère de l'Instruction publique

9. Dans « La Parure », combien coûtent le vrai et le faux collier ?

    a. 26 000 francs et 400 francs

    b. 36 000 francs et 500 francs

    c. 56 000 francs et 800 francs

10. Combien de temps le couple des Loisel met-il à rembourser le vrai collier acheté ?

    a. cinq ans

    b. dix ans

    c. vingt ans

11. Dans quel lieu le bal de « La Parure » se déroule-t-il ?

    a. à l'Élysée-Montmartre

    b. dans une guinguette des bords de Seine

    c. à l'hôtel du Ministère

12. Quelles sont les causes du duel dans « Un lâche » ?

    a. le vicomte est insulté

    b. le vicomte est bousculé

    c. un homme regarde de façon trop insistante les deux femmes qui accompagnent le vicomte

13. Qui Mme Haggan trompe-t-elle dans « Le Rendez-vous » ?

    a. son mari

    b. son amant le vicomte de Martelet

    c. le baron de Grimbal

14. Quel fut le métier du vieillard masqué dans « Le Masque » ?

    a. chapelier

    b. coiffeur

    c. danseur

15. Où Joseph de Bardon rencontre-t-il une jeune femme mystérieuse ?

    a. au bois de Boulogne

b. au cimetière du Père-Lachaise
c. au cimetière Montmartre

La structure des nouvelles

Reproduisez puis complétez le tableau suivant pour faire apparaître le parcours des personnages.

Nouvelle	Personnage	Milieu social	Situation initiale	Situation finale	Cause de l'évolution
		Fille d'employés, mariée à un petit commis du ministère			
	Le vicomte de Signoles				
				Maîtresse du baron de Grimbal	
			Danseur masqué		
				Une femme au bras d'un homme distingué	

Qui parle ?

Complétez le texte suivant afin de mettre en évidence le statut du narrateur dans chacune des nouvelles.

A. Dans « Le Masque », le témoin de l'histoire est un .... présent sur les lieux du drame : il assiste au récit de la vie du danseur que lui livre ....

B. Dans « Les Tombales », le narrateur, ..., raconte à ses amis sa rencontre mystérieuse avec une femme au cimetière Montmartre.

C. Dans « La Parure », le narrateur est .... Il sait tout des rêves et des souffrances du couple Loisel : on peut alors parler de focalisation ....

D. Dans « Un lâche » et dans « Le Rendez-vous », on pénètre véritablement dans la .... du vicomte de Signoles et dans celle de Jeanne Haggan : tous leurs tourments, hésitations et pensées nous sont contés : il s'agit d'une focalisation ....

Les différents types de discours

Retrouvez le type de discours utilisé dans ces brefs extraits des nouvelles : s'agit-il de discours direct ? indirect ? ou indirect libre ?

A. « Il demandait : "Tu es sûre que tu l'avais encore en quittant le bal ? – Oui, je l'ai touchée dans le vestibule du Ministère." » (« La Parure », p. 27, l. 178-180)

B. « Mme Loisel se sentit émue. Allait-elle lui parler ? Oui certes. Et maintenant qu'elle avait payé, elle lui dirait tout. Pourquoi pas ? » (« La Parure », p. 31, l. 275-277)

C. « Et ce doute l'envahit, cette inquiétude, cette épouvante ; si une force plus puissante que sa volonté, dominatrice, irrésistible, le domptait, qu'arriverait-il ? Oui, que pouvait-il arriver ? Certes, il irait sur le terrain, puisqu'il voulait y aller. Mais s'il tremblait ? Mais s'il perdait connaissance ? » (« Un lâche », p. 37, l. 133-137)

D. « Puis, comme l'heure passait, je lui proposai de la reconduire chez elle avec une voiture. Elle accepta. » (« Les Tombales », p. 71, l. 182-184)

L'ironie du sort

L'intérêt de ces cinq nouvelles repose sur la présence d'un jeu d'oppositions et de contrastes. Retrouvez-les en complétant les affirmations suivantes :

1. Dans « La Parure », Mathilde Loisel réalise ses rêves un soir durant le bal au ministère puis ....
....

2. Le héros de la nouvelle « Un lâche » est présenté comme fier, courageux et plein d'assurance, alors que ....
....

3. Dans « Le Rendez-vous », Jeanne Haggan quitte son amant Martelet pour le baron de Grimbal alors que ....
....

4. La « sépulcrale chasseresse » des « Tombales » choisit un cimetière, lieu de mort, comme ....
....

5. Dans « Le Masque », à l'atmosphère de fête et de joie du bal de l'Élysée-Montmartre et au tableau d'une jeunesse fougueuse s'oppose ....

Parcours de lecture

 MICROLECTURE N° 1 : **« La Parure »**

Relisez le texte, de « C'était une de ces jolies et charmantes filles » à « de désespoir et de détresse » (p. 21-22, l. 1-45), puis répondez aux questions suivantes.

Grammaire et compétences linguistiques

1. Récrivez les deux premières phrases de la nouvelle (l. 1-6) à la première personne du singulier.

2. Quel est le temps utilisé dans ces deux phrases ? Quelle est sa valeur ?

3. Relevez dans le premier et dans l'avant-dernier paragraphe deux phrases déclaratives négatives.

4. « Elle n'avait pas de toilettes » (l. 39) : que signifie le terme « toilettes » ici ?

5. Repérez la figure de style présente dans la phrase suivante : « Et elle pleurait pendant des jours entiers, de chagrin, de regret, de désespoir et de détresse » (l. 43-45).

Compréhension et compétences d'interprétation

La peinture d'une jeune femme modeste

1. À quel milieu social l'héroïne appartient-elle ?

2. Que sait-on du mari de l'héroïne ? Que trahit sa réaction devant la soupière de pot-au-feu ?

La psychologie féminine

1. La jeune femme est-elle heureuse ? Relevez un adjectif et trois verbes pour justifier votre réponse.

2. Trouvez un synonyme au verbe « songer » utilisé par Maupassant aux lignes 20, 24, 32-33. Quels champs lexicaux dominent dans les descriptions de ses pensées ?

L'annonce de l'intrigue

1. Quel troisième personnage de la nouvelle est évoqué à la fin de l'extrait ?

2. Relevez dans l'avant-dernier paragraphe le terme qui fait écho au titre de la nouvelle et qui donne un indice sur la suite de l'intrigue.

MICROLECTURE N° 2 : **« Le Rendez-vous »**

Relisez la nouvelle en entier (p. 43-51), puis répondez aux questions suivantes.

Compréhension et compétences d'interprétation

1. Comment l'héroïne de la nouvelle se nomme-t-elle ? Qui est le vicomte de Martelet ?

2. Montrez que le cadre spatiotemporel de la nouvelle est resserré.

3. En quoi peut-on dire que la fin de la nouvelle est surprenante ?

4. Quelle image de la femme cette nouvelle donne-t-elle ?

 Sujet d'invention

Imaginez la lettre d'amour que le vicomte de Martelet écrit à Mme Haggan qu'il croit malade. Vous respecterez les indices textuels propres à la rédaction d'une lettre (date, adresse, formule d'appel et formule de politesse).

 MICROLECTURE N° 3 : **« Un lâche »**

Relisez la nouvelle en entier (p. 33-42), puis répondez aux questions suivantes.

Compréhension et compétences d'interprétation

1. Dans les quatre premiers paragraphes, quelles qualités du vicomte de Signoles sont mises en valeur ?

2. Comment le vicomte réagit-il à la perspective du duel ? Montrez que ses réactions sont à la fois physiques et psychologiques. En quoi peut-on dire qu'il y a une évolution ?

3. Selon vous, qu'est-ce qui pousse le vicomte au suicide ?

4. Aux lignes 283 et 284, quel adjectif utilisé pour qualifier le vicomte de Signoles s'oppose au titre de la nouvelle ? Comment expliquer l'emploi de ces deux antonymes ?

Sujet d'invention

Imaginez le dernier message que le vicomte Gontran-Joseph de Signoles écrit avant de se donner la mort : dans un texte d'une quinzaine de lignes, marqué par le registre pathétique, il évoque les raisons de son geste et fait part de ses dernières volontés.

 MICROLECTURE Nº 4 : **« Le Masque »**

Relisez la nouvelle en entier (p. 53-63), puis répondez aux questions suivantes.

Compréhension et compétences d'interprétation

1. Qui est le « masque » ? Pourquoi le personnage en porte-t-il un ?

2. Quels sont les deux lieux évoqués successivement dans la nouvelle ? En quoi peut-on dire qu'ils s'opposent ?

3. Pourquoi la compagne du « masque » se réjouit-elle de découvrir un jour un cheveu blanc dans la chevelure de son amant ?

4. Quelle angoisse propre à l'homme est le thème central de la nouvelle ?

 Sujet de réflexion

Comment jugez-vous la peur de vieillir de l'homme au masque ? Faut-il, selon vous, chercher à rester jeune à tout prix ? Vous argumenterez et illustrerez votre réponse à l'aide de plusieurs exemples.

 MICROLECTURE Nº 5 : **« Les Tombales »**

Relisez la nouvelle en entier (p. 65-74), puis répondez aux questions suivantes.

Compréhension et compétences d'interprétation

1. Montrez que la nouvelle est construite comme un récit dans un récit.

2. De quel lieu Joseph de Bardon fait-il l'éloge ?

3. En quoi peut-on dire que la rencontre évoquée par le jeune homme est étrange et originale ?

4. Quels sont les points communs entre l'héroïne de la nouvelle « Le Rendez-vous » et la femme rencontrée par le narrateur au cimetière Montmartre dans « Les Tombales » ?

 Sujet de réflexion

Selon vous, la ville est-elle un lieu qui facilite les rencontres et les échanges entre les hommes et les femmes ou un lieu propice à la solitude et à l'isolement ? Vous veillerez à donner plusieurs arguments illustrés pour chacune des thèses.

Les personnages féminins, miroirs de la société du XIXᵉ siècle

Qu'elles soient jeunes ou vieilles, pauvres ou aisées, mystérieuses ou sincères, les femmes de ce recueil incarnent la diversité de la société du XIXᵉ siècle. Maupassant n'est pas seulement un fin psychologue, il est aussi un observateur attentif de son époque. Comme lui, d'autres auteurs ont peint des portraits qui révèlent la place réservée aux femmes dans la société du XIXᵉ siècle.

 ## Les femmes chez Maupassant

1. Retrouvez la femme cachée derrière chacun des extraits suivants, tirés des nouvelles du recueil.

A. « Elle souffrait sans cesse, se sentant née pour toutes les délicatesses et tous les luxes. Elle souffrait de la pauvreté de son logement, de la misère des murs, de l'usure des sièges, de la laideur des étoffes. Toutes ces choses, dont une autre femme de sa caste ne se serait même pas aperçue, la torturaient et l'indignaient. La vue de la petite Bretonne qui faisait son humble ménage éveillait en elle des regrets désolés et des rêves éperdus. »

B. « Son chapeau sur la tête, son manteau sur le dos, un voile noir sur le nez, un autre dans sa poche dont elle doublerait le premier quand elle serait montée dans le fiacre coupable, elle battait du bout de son ombrelle la pointe de sa bottine, et demeurait assise dans sa chambre, ne pouvant se décider à sortir pour aller à ce rendez-vous. »

C. « Elle était devenue la femme forte, et dure, et rude, des ménages pauvres. Mal peignée, avec des jupes de travers et les mains rouges, elle parlait haut, lavait à grande eau les planchers. Mais parfois, lorsque son mari était au bureau, elle s'asseyait auprès de la fenêtre, et elle songeait à cette soirée d'autrefois, à ce bal où elle avait été si belle et si fêtée. »

D. « La porte à laquelle ils avaient frappé s'ouvrit et une femme apparut, vieille aussi, propre, avec un bonnet de nuit bien blanc encadrant une tête osseuse, aux traits accentués, une de ces grosses têtes bonnes et rudes des femmes d'ouvriers laborieuses et fidèles. »

E. « Je m'en allai stupéfait, me demandant ce que je venais de voir, à quelle race d'êtres appartenait cette sépulcrale chasseresse. Était-ce une simple fille, une prostituée inspirée qui allait cueillir sur les tombes les hommes tristes, hantés par une femme, épouse ou maîtresse, et troublés encore du souvenir des caresses disparues ? Était-elle unique ? Sont-elles plusieurs ? Est-ce une profession ? »

2. Complétez les portraits à l'aide des noms communs ou des adjectifs qualificatifs suivants :

amour – courageuses – culpabilité – infidèle – innocente – insistant – manipulatrice – misère – mystérieuse – responsables – sort – soumises – victimes

A. Dans la nouvelle « Un lâche », les deux femmes qui accompagnent le vicomte de Signoles sont les .... du drame qui va se jouer, puisque le regard .... que porte sur elles un inconnu pousse le vicomte au duel.

B. Dans « La Parure » et « Le Masque », Mathilde et Madeleine sont des .... : l'une de sa volonté d'échapper à un quotidien médiocre et du .... qui la condamne à la .... ; l'autre de son .... pour son mari dont elle accepte tous les comportements. Elles sont toutes deux à la fois .... et ....

C. Jeanne Haggan est une femme .... qui, malgré son sentiment de .... et sa lassitude de l'adultère, se jette dans les bras du baron de Grimbal.

D. Dans « Les Tombales », la jeune femme en deuil est .... : elle semble à la fois .... et .... ; c'est pour cela qu'elle fascine le narrateur.

Autres portraits de femmes (groupement de textes n° 1)

A. Prosper Mérimée, *Carmen* (1845)

Dans cette nouvelle, Prosper Mérimée (1803-1870) met en scène Carmen, une belle et envoûtante gitane qui rend fou d'amour le brigadier don José. Au chapitre III, voici le récit que ce dernier fait de sa première rencontre avec celle qui causera son malheur...

J'étais donc le nez sur ma chaîne[1], quand j'entends des bourgeois qui disaient : « Voilà la gitanilla ! » Je levai les yeux, et je la vis. C'était un vendredi, et je ne l'oublierai jamais. Je vis cette

---

1. *Chaîne* : don José est alors garde dans une manufacture de tabac à Séville et s'occupe en fabriquant une chaîne avec du fil de laiton.

Carmen que vous connaissez, chez qui je vous ai rencontré il y a quelques mois.

Elle avait un jupon rouge fort court qui laissait voir des bas de soie blancs avec plus d'un trou, et des souliers mignons de maroquin[1] rouge attachés avec des rubans couleur de feu. Elle écartait sa mantille[2] afin de montrer ses épaules et un gros bouquet de cassie[3] qui sortait de sa chemise. Elle avait encore une fleur de cassie dans le coin de la bouche, et elle s'avançait en se balançant sur ses hanches comme une pouliche du haras de Cordoue[4]. Dans mon pays, une femme en ce costume aurait obligé le monde à se signer[5]. À Séville, chacun lui adressait quelque compliment gaillard[6] sur sa tournure[7] ; elle répondait à chacun, faisant les yeux en coulisse, le poing sur la hanche, effrontée comme une vraie bohémienne qu'elle était. D'abord elle ne me plut pas, et je repris mon ouvrage ; mais elle, suivant l'usage des femmes et des chats qui ne viennent pas quand on les appelle et qui viennent quand on ne les appelle pas, s'arrêta devant moi et m'adressa la parole :

« Compère, me dit-elle à la façon andalouse, veux-tu me donner ta chaîne pour tenir les clefs de mon coffre-fort ?

– C'est pour attacher mon épinglette[8], lui répondis-je.

– Ton épinglette ! s'écria-t-elle en riant. Ah ! monsieur fait de la dentelle, puisqu'il a besoin d'épingles ! »

Tout le monde qui était là se mit à rire, et moi je me sentais rougir, et je ne pouvais trouver rien à lui répondre.

« Allons, mon cœur, reprit-elle, fais-moi sept aunes[9] de dentelle noire pour une mantille, épinglier de mon âme ! »

---

1. *Maroquin* : peau de chèvre ou de mouton tannée et teinte.

2. *Mantille* : écharpe de soie ou de dentelle, le plus souvent noire, qui couvre la tête et les épaules et fait partie du costume traditionnel des Espagnoles.

3. *Cassie* : fleur jaune très parfumée.

4. *Cordoue* : une ville de l'Andalousie, région du sud de l'Espagne.

5. *Se signer* : faire le signe de croix.

6. *Gaillard* : osé.

7. *Sa tournure* : son allure.

8. *Épinglette* : longue tige qui servait à déboucher les armes à feu.

9. *Aunes* : l'aune est une ancienne mesure de longueur qui équivaut à 1,20 m.

Et prenant la fleur de cassie qu'elle avait à la bouche, elle me la lança, d'un mouvement de pouce, juste entre les deux yeux. Monsieur, cela me fit l'effet d'une balle qui m'arrivait… Je ne savais où me fourrer, je demeurais immobile comme une planche. Quand elle fut entrée dans la manufacture, je vis la fleur de cassie qui était tombée à terre entre mes pieds ; je ne sais ce qui me prit, mais je la ramassai sans que mes camarades s'en aperçussent et je la mis précieusement dans ma veste. Première sottise !

Prosper Mérimée, *Carmen*, Flammarion,
coll. «Étonnants Classiques», 2018, p. 48-50, l. 39-75.

B. Gustave Flaubert, *Madame Bovary* (1857)

Dans son roman *Madame Bovary*, l'écrivain réaliste Gustave Flaubert (1821-1880) relate le destin tragique d'Emma Bovary, jeune femme déçue par son mariage et par la vie provinciale. Dans la deuxième partie du roman, au chapitre VIII, le narrateur décrit une fête agricole, les comices, et dresse le portrait d'une vieille ouvrière agricole qui reçoit une récompense.

«Catherine-Nicaise-Élisabeth Leroux, de Sassetot-la-Guerrière, pour cinquante-quatre ans de service dans la même ferme, une médaille d'argent – du prix de vingt-cinq francs ! »

«Où est-elle, Catherine Leroux ? » répéta le Conseiller.

Elle ne se présentait pas, et l'on entendait des voix qui chuchotaient :

«Vas-y !

– Non.

– À gauche !

– N'aie pas peur !

– Ah ! qu'elle est bête !

– Enfin y est-elle ? s'écria Tuvache.

– Oui !… la voilà !

– Qu'elle approche donc ! »

Alors on vit s'avancer sur l'estrade une petite vieille femme de maintien craintif, et qui paraissait se ratatiner dans ses pauvres vêtements. Elle avait aux pieds de grosses galoches[1] de bois, et, le long des hanches, un grand tablier bleu. Son visage maigre, entouré d'un béguin[2] sans bordure, était plus plissé de rides qu'une pomme de reinette flétrie, et des manches de sa camisole[3] rouge dépassaient deux longues mains, à articulations noueuses. La poussière des granges, la potasse[4] des lessives et le suint[5] des laines les avaient si bien encroûtées, éraillées[6], durcies, qu'elles semblaient sales quoiqu'elles fussent rincées d'eau claire ; et, à force d'avoir servi, elles restaient entrouvertes, comme pour présenter d'elles-mêmes l'humble témoignage de tant de souffrances subies. Quelque chose d'une rigidité monacale[7] relevait l'expression de sa figure. Rien de triste ou d'attendri n'amollissait ce regard pâle. Dans la fréquentation des animaux, elle avait pris leur mutisme[8] et leur placidité[9]. C'était la première fois qu'elle se voyait au milieu d'une compagnie si nombreuse ; et, intérieurement effarouchée par les drapeaux, par les tambours, par les messieurs en habit noir et par la croix d'honneur du Conseiller, elle demeurait tout immobile, ne sachant s'il fallait s'avancer ou s'enfuir, ni pourquoi la foule la poussait et pourquoi les examinateurs lui souriaient. Ainsi se tenait, devant ces bourgeois épanouis, ce demi-siècle de servitude.

Gustave Flaubert, *Madame Bovary*, Flammarion, coll. «Étonnants Classiques», 2014, p. 226-228, l. 648-684.

---

1. *Galoches* : chaussures grossières à semelles de bois épaisses.

2. *Béguin* : sorte de coiffe qui s'attachait sous le menton.

3. *Camisole* : vêtement court ou long et à manches, qui se portait sur la chemise.

4. *Potasse* : substance chimique utilisée dans la fabrication de produits détergents.

5. *Suint* : matière grasse que sécrète la peau du mouton et qui imprègne sa laine.

6. *Éraillées* : abîmées.

7. *Monacale* : qui caractérise les moines, leur esprit, leur façon d'être.

8. *Mutisme* : fait d'être muet.

9. *Placidité* : calme, tranquillité.

C. Émile Zola, « Jacques Damour » (1880)

Fondateur du mouvement naturaliste, Zola s'inscrit dans le sillage du réalisme qui l'a précédé. Comme Maupassant, il est l'auteur de nombreuses nouvelles. Dans l'une d'entre elles, intitulée «Jacques Damour», il dépeint le milieu des ouvriers et des commerçants dans un cadre spatiotemporel fidèle à la réalité de son temps.

Au coin de la rue des Moines et de la rue Nollet, la boutique, avec ses grilles rouges et ses têtes de bœuf dorées, avait un air riche. Des quartiers de bêtes pendaient sur des nappes blanches, tandis que des files de gigots, dans des cornets de papier à bordure de dentelle, comme des bouquets, faisaient des guirlandes. Il y avait des entassements de chair, sur les tables de marbre, des morceaux coupés et parés, le veau rose, le mouton pourpre, le bœuf écarlate, dans les marbrures de la graisse. Des bassins de cuivre, le fléau[1] d'une balance, les crochets d'un râtelier luisaient. Et c'était une abondance, un épanouissement de santé dans la boutique claire, pavée de marbre, ouverte au grand jour, une bonne odeur de viande fraîche qui semblait mettre du sang aux joues de tous les gens de la maison.

Au fond, en plein dans le coup de clarté de la rue, Félicie occupait un haut comptoir, où des glaces la protégeaient des courants d'air. Là-dedans, dans les gais reflets, dans la lueur rose de la boutique, elle était très fraîche, de cette fraîcheur pleine et mûre des femmes qui ont dépassé la quarantaine. Propre, lisse de peau, avec ses bandeaux[2] noirs et son col blanc, elle avait la gravité souriante et affairée[3] d'une bonne commerçante, qui, une plume à la main, l'autre main dans la monnaie du comptoir, représente l'honnêteté et la prospérité d'une maison. Des garçons coupaient, pesaient, criaient des chiffres ; des clientes défilaient devant la caisse ; et elle

---

1. *Fléau* : pièce rigide en équilibre sur laquelle reposent les plateaux d'une balance.
2. *Bandeaux* : cheveux répartis de chaque côté de la raie et plaqués sur les tempes.
3. *Affairée* : occupée.

recevait leur argent, en échangeant d'une voix aimable les nouvelles du quartier.

Émile Zola, « Jacques Damour », *Trois Nouvelles naturalistes*,
Flammarion, coll. « Étonnants Classiques », 2018,
p. 62-63, l. 1-25.

Questions de synthèse

1. À quelle catégorie sociale appartient chacune des femmes décrites dans ce *corpus* de trois textes ? Justifiez votre réponse en citant le texte.

2. Quels aspects de chacun de ces trois personnages les auteurs mettent-ils en valeur dans leur portrait ?

3. Montrez que le portrait de chacune d'elles est marqué par l'esthétique réaliste.

Quand la littérature réaliste fait entendre le peuple
(groupement de textes n° 2)

Dans ses nouvelles, Guy de Maupassant met en scène des Parisiennes qui fréquentent aussi bien les hauts lieux de la capitale que les quartiers populaires. Il montre ainsi que la littérature réaliste s'intéresse à toutes les classes de la société et cherche en particulier à décrire et à mettre en valeur le peuple, sujet longtemps méprisé par les romanciers. Pour rendre compte le plus précisément possible de la réalité des milieux ouvriers et paysans, les auteurs réalistes n'hésitent pas à intégrer dans leur œuvre le parler familier de ces classes sociales.

Guy de Maupassant, « Le Masque » (1889)

Dans la nouvelle « Le Masque », un médecin raccompagne le danseur masqué qui s'est évanoui durant le bal. Chez lui, une vieille femme les accueille : son accent contraste avec le niveau de langue du médecin et du reste de la nouvelle.

« Faut le coucher, Monsieur, rien autre chose, il dormira, et d'main n'y paraîtra plus. »

Le docteur reprit :

« Mais c'est à peine s'il peut parler.

– Oh ! c'est rien, un peu d'boisson, pas autre chose. Il n'a pas dîné pour être souple, et puis il a bu deux vertes[1], pour se donner de l'agitation. La verte, voyez-vous, ça lui r'fait des jambes, mais ça lui coupe les idées et les paroles. Ça n'est plus de son âge de danser comme il fait. Non, vrai, c'est à désespérer qu'il ait jamais une raison ! »

Guy de Maupassant, « Le Masque », *La Parure et autres scènes de la vie parisienne*, Flammarion, coll. « Étonnants Classiques », 2018, p. 57, l. 111-120.

 Honoré de Balzac, « La Messe de l'athée » (1836)

Dans cette nouvelle, l'écrivain réaliste Balzac (1799-1850) relate la vie d'Horace Desplein, un célèbre chirurgien. Ce dernier raconte ses souvenirs et le rôle d'un de ses voisins qui lui a apporté son soutien alors qu'il était un pauvre étudiant. Dans cet extrait, ce voisin, un misérable porteur d'eau nommé Bourgeat, lui offre son aide et, ce faisant, trahit ses origines auvergnates.

« Monchieur l'étudiant, che chuis un pauvre homme, enfant trouvé de l'hôpital de Chain-Flour, chans père ni mère, et qui ne chuis pas achez riche pour me marier. Vous n'êtes pas non plus fertile en parents, ni garni de che qui che compte ? Écoutez, j'ai en bas une charrette à bras que j'ai

---

1. *Vertes* : voir note 1, p. 57.

louée à deux chous l'heure, toutes nos affaires peuvent y tenir ; si vous voulez, nous chercherons à nous loger de compagnie, puisque nous chommes chassés d'ici. Che n'est pas après tout le paradis terrestre. »

Honoré de Balzac, « La Messe de l'athée », *Nouvelles*,
GF-Flammarion, 2005, p. 473.

Émile Zola, *L'Assommoir* (1876)

Dans *L'Assommoir*, Émile Zola (1840-1902) peint le milieu des ouvriers parisiens, dévasté au XIXe siècle par le fléau de l'alcoolisme, à travers le récit du destin tragique de Gervaise, une blanchisseuse[1], et de Coupeau, son mari zingueur[2].

Coupeau, lui aussi, ne comprenait pas qu'on pût avaler de pleins verres d'eau-de-vie. Une prune par-ci par-là, ça n'était pas mauvais. Quant au vitriol, à l'absinthe et aux autres cochonneries, bonsoir ! il n'en fallait pas. Les camarades avaient beau le blaguer, il restait à la porte, lorsque ces cheulards-là[3] entraient à la mine à poivre[4]. Le papa Coupeau, qui était zingueur comme lui, s'était écrabouillé la tête sur le pavé de la rue Coquenard, en tombant, un jour de ribote[5], de la gouttière du n° 25 ; et ce souvenir, dans la famille, les rendait tous sages. Lui, lorsqu'il passait rue Coquenard et qu'il voyait la place, il aurait plutôt bu l'eau du ruisseau que d'avaler un canon gratis chez le marchand de vin. Il conclut par cette phrase :

« Dans notre métier, il faut des jambes solides. »

Émile Zola, chapitre II, *L'Assommoir*,
GF-Flammarion, 2008, p. 84.

1. *Blanchisseuse* : personne dont le métier est de laver le linge et de le repasser.
2. *Zingueur* : ouvrier du bâtiment chargé de la pose des revêtements en zinc.
3. *Cheulards* : soûlards, ivrognes (familier).
4. *Mine à poivre* : établissement où l'eau-de-vie consommée est distillée sur place.
5. *Ribote* : repas où l'on mange et boit avec excès.

Questions de synthèse

1. Après avoir lu l'ensemble des textes à haute voix, identifiez le niveau de langue employé dans chaque extrait.

2. Récrivez avec un niveau de langue courant l'extrait de *L'Assommoir* de Zola et avec un niveau de langue soutenu celui de Maupassant, tiré de la nouvelle « Le Masque ».

3. Comment, dans l'extrait de Balzac, l'auteur parvient-il à nous faire entendre l'accent auvergnat ?

Paris au XIXe siècle

(éducation aux médias et à l'information)

 Portraits d'écrivains réalistes

Flaubert, Balzac et Zola sont, avec Maupassant, les plus grands écrivains réalistes du XIXe siècle. Répartissez-vous en petits groupes pour effectuer des recherches et présenter ces quatre auteurs sous la forme attractive d'un diaporama. Pour cela, recherchez une photo de chacun d'eux sur Internet, puis présentez brièvement leur vie et leur œuvre. Dans un deuxième temps, réalisez une petite synthèse sur le réalisme en littérature en vous appuyant sur des exemples précis. Ce diaporama sera le support de l'exposé que vous ferez devant la classe.

 Les grands travaux du baron Haussmann

Rendez-vous sur le site education.francetv.fr et recherchez l'émission « C'est pas sorcier » consacrée au baron Haussmann et intitulée « Histoire de la ville de Paris ». Visionnez cette émission qui dure environ 5 minutes, puis répondez aux questions suivantes.

1. Quelle est la première initiative prise par le baron Haussmann vers les années 1860 ? Quelle en est la conséquence ?

2. Quelle population domine dans les communes annexées [1] à l'époque ?

3. Comment appelle-t-on les lieux populaires situés dans les faubourgs où l'on pouvait boire et danser ?

4. En quoi consistait le travail des porteurs d'eau (comme Bourgeat, protagoniste de la nouvelle « La Messe de l'athée » de Balzac) ?

5. Quelles sont les trois raisons qui poussent le baron Haussmann à entreprendre, sur ordre de l'empereur Napoléon III, de grands travaux à Paris ?

6. Que fait-il pour cela ? Quel surnom lui donne-t-on alors ?

7. Qu'est-ce qui caractérise les nouveaux immeubles construits ?

8. Quelles décisions le baron Haussmann prend-il pour que Paris devienne une ville plus agréable à vivre ?

Voyage dans le Paris de Maupassant

1. À l'aide d'un moteur de recherche et de son onglet « images », recherchez une carte détaillée de Paris à l'époque d'Haussmann et imprimez-la. Dressez une liste des lieux – quartiers, rues, monuments – évoqués par Maupassant dans les cinq nouvelles du recueil et indiquez-les sur votre plan de Paris au XIXᵉ siècle.

2. Recherchez ensuite la reproduction d'un dessin de l'illustrateur Bertall (1820-1882) publiée dans *L'Illustration* du 11 janvier 1845 sous le titre : « Les cinq étages du monde parisien ». Imprimez ce dessin et indiquez à quelle classe sociale chaque étage correspond.

3. Où, selon vous, logeraient les personnages des nouvelles de Maupassant ? Trouvez l'étage correspondant aux classes sociales de Mathilde Loisel et de Mme Forestier de « La Parure », du vicomte Gontran-Joseph de Signoles, héros de « Un lâche », et du protagoniste de « Le Masque ».

4. Avec ces deux documents légendés, réalisez un panneau à accrocher dans votre classe.

---

1. *Annexées* : ici, rattachées à Paris.

Création maquette intérieure :
Sarbacane Design.

Composition : IGS-CP.
N° d'édition : L.01EHRN000593.N001
Dépôt légal : octobre 2018
Imprimé en Espagne par Novoprint (Barcelone)